C000255023

LES CŒURS AUTONOMES

David Foenkinos est né en 1974 à Paris. Il est notamment l'auteur du *Potentiel érotique de ma femme*, prix Roger Nimier 2004, de *Qui se souvient de David Foenkinos ?*, prix Jean Giono 2007, et de *La Délicatesse*, qu'il adapte lui-même au cinéma en 2011, avec Audrey Tautou dans le rôle principal.

DAVID FOENKINOS

Les Cœurs autonomes

ROMAN

GRASSET

ISBN : 978-2-253-16687-0 – 1re publication LGF

À Myriam, pour son aide précieuse.

À mes parents.

PREMIÈRE PARTIE

1.

Je me souviens de ces années où je ne savais rien de mon avenir. L'incertitude propre à la jeunesse semblait particulièrement marquée. Nous n'étions pas protégés, sauf pour faire l'amour. Et encore, qui faisait véritablement l'amour ? J'avais le sentiment que les femmes ne couchaient plus. La libération sexuelle était un mythe qu'on écoutait parfois, à l'abri de toute possibilité. La société était violente ; on faisait le procès des films qui créaient dans les esprits fertiles les conditions de futurs actes barbares. Il me semblait que la violence croupissait surtout dans l'étroitesse du lendemain. On croisait des dépressifs, minés par avance, vaincus dès l'aube. On laissait s'épanouir des génocides au Rwanda ou en Yougoslavie comme si le passé non plus n'existait pas. La jeunesse était un animal en voie de disparition. Pour mieux la comprendre, le Premier ministre de la République française, au visage d'un autre siècle, envoyait à tout va un questionnaire.

Qui étions-nous ?

Un autiste à qui je disais faire des études de lettres me demanda : « Tu veux devenir facteur ? » Qui sait, peut-être aurait-il raison ? Le chômage respirait un air pur dans les sommets. Pourtant, je ne me sentais pas inquiet, ici, protégé à l'ombre des livres et des jeunes filles. Dans les amphithéâtres de la Sorbonne, je respirais ces visages féminins qui ne resteraient que des visages. Cela suffisait à mon bonheur, et au bonheur de mes songes. J'écoutais des théories en contemplant des nuques troublées par des mèches. Toutes ces féminités studieuses étaient le futur comme je me l'imaginais. Certaines sont devenues mes amies, souvent par défaut. Certaines sont restées des inconnues. Et dans la panoplie des visages, je me souviens de son visage. Quand on l'a découvert à la une des journaux, je l'ai reconnue immédiatement. C'était elle. Au début de l'année précédente, elle était restée très peu de temps à la faculté de lettres. Elle avait disparu avec la première vague de ceux qui désertent à l'approche de l'hiver. Je l'avais revue quelquefois jusqu'à l'été dernier. J'ai acheté le journal. Je me suis senti déraciné par le choc, loin de moi.

2.

Pendant les premières heures de sa garde à vue, elle est restée totalement muette. Les enquêteurs de la brigade criminelle n'avaient jamais été confrontés à une telle attitude. Ils tentèrent tout, alternant les interrogatoires musclés et les approches en douceur. Rien n'aboutissait. La jeune femme était prostrée, elle n'existait pas. On lui fit des analyses de sang, on ne trouva aucune trace de drogue. Elle n'avait pas de papiers. Elle était une effraction de la réalité. D'une manière absurde, son visage conservait les traces de l'innocence propre à son âge.

L'un des enquêteurs s'énerva : « Tu ne peux pas rester comme ça, sans rien dire ! » On lui demanda de se calmer. Il le fit difficilement, quelque part, dans un autre bureau, mais c'était l'effervescence, tout le monde était là, personne ne pouvait repartir. Quai des Orfèvres transformé en quai des Brumes. Les faits se précisaient dans leur horreur. On apprit les décès, les uns après les autres ; il allait falloir prévenir les familles, les unes après les autres. Elle ne manifestait aucune émotion. Elle baissait la tête, puis la relevait et regardait fixement son interlocuteur sans dire un mot. « C'est un mur », dit le commissaire. Puisqu'elle était muette, on tenta de faire parler son visage. Pouvait-on trouver aux alentours du regard les raisons de la folie de cette soirée ? Ce visage qui prenait la forme d'un ridicule rempart, d'une ligne Maginot imperméable aux attaques. Ce visage qui subjuguera tant, qui sera imprimé sur des tee-shirts quand elle deviendra l'objet d'une fascination. Mais tout ça était bien prématuré. Pour l'instant, son visage devient une photographie prise dans les locaux de la brigade criminelle, un cliché anthropométrique de l'identité judiciaire. Il va falloir se raccrocher aux précisions. Cette photo qui va réveiller une nation tout entière, qui va aboutir à des débats de société, des projets politiques. Tout ça pour un visage sans vie. Un visage figé dans l'effroi. On put découvrir la finesse de sa bouche. Une bouche pour les silences. Son front haut. Une seule et ridicule égratignure sur la pommette saillante, preuve absurde de sa présence dans un déluge de feu. Ses yeux sont noirs, ses yeux ont la noirceur des oublis éternels. Ses habits sont d'un autre temps. Ses bras sont croisés, ce qui lui permet de cacher ses mains. Elle voudrait mourir à cet instant.

Au petit matin, elle souffla son nom, puis son prénom, puis son adresse. Ce serait tout pour de longues semaines.

3.

Le jour précis, je ne peux pas m'en souvenir. Je venais de visiter la bibliothèque de la Sorbonne, c'était donc forcément dans les premiers jours. Où que j'aille, je veux connaître les bibliothèques. Et c'est en redescendant les marches que j'avais vu ce groupe de filles. Il y a quelque chose de triste dans les premières rencontres en faculté. Après le lycée, tout le monde se retrouve dans l'atmosphère molle de l'inconnu. Personne n'a de repère, on tâtonne, on se regroupe, dans un étrange soulagement, autour des deux-trois visages croisés dans les cours. Tout est cotonneux alors. On essaye de paraître sous son meilleur jour, on sourit idiotement, on fait croire que tout ça ne nous fait pas peur. Ces filles se rassemblaient autour d'une autre fille qui parlait avec plus d'aisance. Il me semblait que je reconnaissais certaines d'entre elles, il me semblait que j'avais des cours en commun avec certaines d'entre elles, il me semblait que je pouvais avoir ma place dans ce groupe. Mais je suis descendu, immatériellement, en souriant. Elles étaient cinq filles, et c'est là que je l'ai vue pour la première fois.

Comme beaucoup, elle avait choisi les études de lettres par dépit. J'ai su qu'elle avait entamé médecine, avant de se rétracter aussitôt. Disséquer des grenouilles n'était pas un avenir pour elle. Des grenouilles retenues dans des bassins artificiels. Il y a beaucoup de choses que je sus d'elle, bien après, quand les journalistes se sont emparés de sa vie ; quand elle est devenue tout et le contraire de tout. J'ai appris alors son goût éperdu de la liberté. Adolescente, comme tant d'autres, elle avait eu un hamster qu'elle regardait vivre dans sa cage. Souvent, elle avait repensé à ce symbole, et elle s'était dégoûtée d'avoir pu posséder un animal dans ces conditions. Un jour, elle l'avait libéré. Qui sait, ce hamster avait peut-être l'instinct de survie, comme un criminel traqué.

Je me suis retrouvé assis à côté d'elle. Étrangement, je me sentais incapable de porter un jugement sur son physique. Sa beauté se promenait inlassablement sur son visage. Il en était de même de sa douceur qui laissait place parfois à des expressions assez masculines. Sa douceur était davantage de l'ordre de la timidité, il me semble, de l'ordre d'une précaution dans les gestes et dans les mots. Son visage en mouvement, celui d'une femme en constante révélation de ce qu'elle est. Comme bercée par l'ailleurs. Elle semblait toujours penser à autre chose, elle prenait des notes d'une manière anarchique. Sur ses feuilles, des mots et des phrases manquaient au rythme de ses songes. Mais parfois, je la surprenais à tout bien noter pendant un quart d'heure, à tout bien écrire comme le pur vestige d'une fille sérieuse et bien élevée.

En plein milieu de notre premier cours, je lui avais demandé, espérant qu'elle apprécierait mon humour, si elle aimait lire. Elle avait hésité un temps, avant de sourire. Je me souviens très bien de ce que j'avais ressenti à ce moment précis ; son sourire était comme une intrusion dans son expression, une étrangeté. Je me rendis compte plus tard à quel point ma première impression était fausse, et combien elle était le plus souvent légère et heureuse. Elle avait le visage d'une fille amoureuse. Pourtant, contrairement à toutes ces jeunes filles qui ne peuvent s'empêcher de parler de leur amoureux, par fierté, ou pour bien faire comprendre qu'aucun accès en ce domaine ne sera possible, elle ne me parla jamais de lui. Les moments sans lui étaient des parenthèses pendant lesquelles des gens comme moi pouvaient apparaître, dans des échos sans grande consistance. Les mots n'avaient pas assez de valeur pour le décrire, sûrement.

Nous sommes devenus des connaissances de faculté. Nous n'avons pas dû nous voir plus de cinq ou six fois. Dans le contexte universitaire, cela suffisait à créer une connivence, l'esquisse d'une affinité. Nous avons parlé un peu de littérature, vaguement de l'avenir et vaguement du passé. Le présent semblait beaucoup l'intéresser. Elle trouvait souvent des prétextes pour critiquer le gouvernement ou la société. Après un cours, nous sommes restés assis sur un banc, dans un couloir.

« Assister à un cours relève de l'exploit ! me dit-elle. Avec ces amphis bondés, comment va-t-on apprendre ?

— Oui, c'est vrai, tu as raison… »

Peut-être avait-elle senti la faible motivation de ma réponse :

« Tu t'en fous, toi ?

— Non, ce n'est pas ça…

— Alors quoi ? Qu'est-ce qui t'intéresse ? »

En prononçant cette phrase, elle me regarda droit dans les yeux pour la première fois. Elle enchaîna :

« C'est vrai qu'on ne se connaît pas… mais j'ai le sentiment que tu ne parles jamais vraiment de toi…

— Je ne sais pas… peut-être… En tout cas, je ne crois pas être un bon sujet de conversation.

— C'est faux. Tout le monde peut l'être. Il suffit juste de gratter un peu. »

Elle ponctua cette phrase d'un étrange sourire. À cet instant précis, et c'était d'autant plus paradoxal qu'il s'agissait de notre première véritable discussion, j'ai eu l'impression que je ne la connaîtrais jamais. Le sentiment que derrière son sourire se cachait une porte fermée. Nous sommes restés encore un moment à parler. En partant, elle a griffonné son numéro sur un bout de papier. Elle n'avait pas voulu me le dire clairement, mais elle savait qu'elle ne remettrait plus les pieds ici. Je ne sais pas trop pourquoi, mais j'ai senti qu'elle avait hésité à me laisser ses coordonnées, hésité à laisser des traces. C'est ainsi, peut-être, que je l'interprète maintenant, à la lueur de ce qui s'est passé par la suite.

Plusieurs semaines se sont écoulées, et je ne l'ai plus revue. Nous avions changé d'année, tout était blanc. Je pensais assez peu à elle. Et je lui ai téléphoné comme ça, presque par curiosité, pour savoir comment elle allait, ce qu'elle devenait. Je suis tombé sur sa mère qui m'expliqua quelque chose que je ne réussis pas à distinguer. Sa voix était étouffée. J'ai fait mine de comprendre, et j'ai laissé un message.

4.

Chez elle, il ne fallait jamais faire de bruit. Il fallait chuchoter, tempérer ses battements de cœur pour ne pas réveiller les démons du père.

On ne savait pas ce qui s'était passé. Il avait été un homme vif, il avait été un homme en bonne santé. Une photo, rangée maintenant dans un tiroir, pouvait le prouver à ceux qui en doutaient, à ceux qui ne pouvaient plus croire que cet homme, dans le passé, avait été un homme comme les autres. Il n'y avait pas eu de signes avant-coureurs, pas d'alertes, pas de picotements pour annoncer une démangeaison, rien n'avait été prémédité, la maladie avait frappé le père comme la foudre. En rentrant du travail, devant la porte de chez lui, comme ça, à ce moment précis, il s'était mis à entendre des voix. Il avait tourné la tête, stupéfait de ne voir personne. Sûrement avait-il susurré une phrase que tout le monde susurre dans ces cas-là, « tiens, je dois être fou », avait-il sûrement susurré, sans savoir que jamais il n'avait été aussi proche de la vérité.

Cette voix entendue dans son dos est la première d'une série infinie. Très vite, il sera en arrêt maladie. Très vite, il enchaînera les visites chez des spécialistes, et les séjours en psychiatrie. Dans ses longs moments de lucidité, il évoquera calmement les voix qui le persécutent, et qui surgissent pour le menacer.

On conclura qu'il est victime de processus délirants, on parlera d'une grave maladie mentale. Il est persuadé qu'on lui a planté un poinçon entre les yeux, qu'il est recherché par des ennemis invisibles. Il voit des bras qui bougent tout seuls. Dans sa tête, les refrains sont des insultes stridentes. Les neuroleptiques à haute dose aggravent quelque peu son cas. À vrai dire, il est le seul à pouvoir vraiment lutter contre les attaques sonores, à se barricader contre ses ennemis. Sa méthode sera simple : faire le moins de bruit possible, bouger le moins possible.

Ainsi, le temps passerait ici dans un entonnoir. La vie familiale s'organiserait autour de la folie. Et les cris que l'on a souvent envie de pousser dans l'adolescence seraient mort-nés.

À propos de son père, elle oscillera sans cesse entre admiration et envie. Admiration pour son courage, et la façon qu'il a de ne jamais baisser les bras, de s'accrocher à sa vie comme on s'accroche au souvenir d'un disparu. Et envie : un soir, elle s'approchera de lui pour lui chuchoter : « Toi, tu as trouvé quelque chose qui te distingue des autres. » Pendant son procès, l'avocat général reprendra cette phrase : « Vous voyez bien ! Elle n'avait qu'une envie ! Être originale ! Avoir un destin qui sortirait de l'ordinaire… eh bien, c'est réussi ! » Mais qui n'a pas ressenti cette envie ? Qui ne veut pas attirer les regards ? C'était bien ridicule de considérer cette phrase comme une preuve supplémentaire. Les preuves, on pouvait les trouver dans cet environnement familial. Cette vie dans un cocon, cette vie enfermée ; cette vie où il ne fallait pas allumer la télévision pour ne pas faire venir les démons. Cette vie où il fallait contrôler l'amplitude de ses gestes. Toute cette vie-là pourrait être considérée comme le compte à rebours de la fureur.

*

Elle passe du temps dans sa chambre. On y trouve cachés, ici ou là, les vestiges des passions changeantes de l'adolescence. Elle se sent inutile, banale, commune. Elle a l'impression de ne pas plaire. Deux facteurs qui la poussent vers Dieu. Sa grande période religieuse. Dieu recrute plus facilement hors des sentiers battus de la sensualité. Avec une soif éperdue, elle lira tout ce qu'elle trouvera sur le sujet. La connaissance est une armure. La connaissance est une façon de colmater le vide qui la ronge. Elle lit énormément, commence à s'intéresser à la philosophie et aux mouvements politiques. Elle s'enferme dans toutes les ouvertures.

*

Cette époque ne fut pas malheureuse. Son père l'aimait d'un amour sans faille, dans les laps de sa lucidité. Sa mère prônait une éducation stricte, mais c'était pour le bien de sa fille. Il fallait faire attention à ses fréquentations, parler correctement, être un peu ce qu'on ne voulait pas être. Le paraître avait son importance, surtout dans ces villes et ces immeubles où tout le monde se connaît ; l'étouffant regard des autres. Sûrement a-t-elle rêvé alors de l'anonymat suprême, de se fondre dans un monde sans la moindre attache. L'apparence, encore l'apparence : sa mère ne voulait pas que l'on considère son mari comme un malade. Tout était parfaitement normal ; il y avait là une stratégie douce d'anéantir le mal en le méprisant, en ne le définissant jamais. Seule façon aussi de préserver une vie de famille perdue, faute de savoir comment se comporter face à l'avalanche des démons. Qui sait comment agir dans ces cas-là ? Il ne reste que des tentatives floues pour combattre le flou.

Alors, elle a vécu aussi toutes ces années dans le mensonge de ce qu'elle voyait, dans l'interdiction de manifester quoi que ce soit, dans une certaine parenthèse d'elle-même. Elle était une ombre avec le sourire. Une ombre attendant sa lumière, et bientôt elle la trouverait dans un soulagement extatique. La puissance d'une histoire d'amour est toujours proportionnelle au vide qui l'a précédée. Mais il ne fallait pas aller trop vite. La fin de l'histoire se jouerait en vingt-cinq minutes de folie meurtrière ; d'ici là, il fallait prendre son temps. Il fallait être figé dans ce temps de l'adolescence sourde. Pendant le procès, au moment de la comparution du père, la mère implorera les jurés ahuris : « Ne dites pas à mon mari qu'il est malade. » Et personne ne dira rien, laissant ainsi le champ du réel se modifier, la vérité étant une donnée imprécise, relative. Cette étrange réalité qui fut l'étrange terrain de sa jeunesse. Temps où, déjà, s'était dessinée l'incertitude des frontières.

5.

Je n'ai pas reconnu sa voix, mais j'ai reconnu son phrasé ; toujours sa façon de finir les phrases aux abords du silence, comme si elle baissait le volume progressivement.

C'était la grande période de la révolte. Certains espéraient un nouveau Mai 68, ne sachant pas que les répliques des révolutions, tout comme celles des séismes, sont souvent de plus faible intensité. Beaucoup seraient déçus quand, au printemps, avec le recul des politiques, avec la progression des températures, les choses reprendraient leur cours morne. Le chaos d'un moment allait aboutir au silence de la routine. Lui, il serait particulièrement meurtri par cet espoir avorté. Il fallait le voir au mois de janvier, survolté comme un guérillero. Maintenant, il croyait plus que jamais que le gouvernement allait chuter, et que, rêvait-il, le sang des pourris allait couler. Il était assis dans un café près du cimetière du Montparnasse, en attendant de rallier le lion de la place Denfert-Rochereau. Elle était assise près de lui, souriante, vivante. Deux autres personnes les accompagnaient, et le quatuor formait une harmonie vestimentaire. Du vert et du gris. C'était étrange comme vision. Quand je suis entré dans le café, je me suis demandé pourquoi elle m'avait proposé de venir avec eux. En la voyant, je me suis rendu compte que je ne la connaissais pas. Et puis j'ai compris ; il m'a suffi de la voir surjouer légèrement notre amitié pour comprendre que tout cela lui était destiné. Pour qu'il la vît dans une situation personnelle, avec un ami, avec une capacité à produire de la rencontre sociale. J'étais un pion dans leur jeu. Elle lui prouvait maintenant qu'elle pouvait être une femme autonome. Il me semblait alors que plus un amour était fort, plus il pouvait reposer sur une certaine apparence.

En quittant le café, nous avons assez peu parlé des études. Elle m'a juste dit qu'elle gardait des enfants, et que pour l'instant, elle ne voulait pas reprendre les lettres. En évoquant le fait qu'elle cachait la situation à ses parents, elle a émis un gloussement, comme une fierté enfantine, une rébellion pour rire. Tout en parlant, elle tournait régulièrement la tête vers lui, mirador de son attention, guettant ses réactions avec dévotion. Ils se souriaient en coin, heureux de vivre ensemble ce moment faussement historique. Nous approchions de la foule, leurs pas étaient précis.

Leur lutte et leur motivation me paraissaient sans faille. Mon caractère m'avait toujours éloigné de toute implication dans le moindre mouvement ; jamais je n'avais eu une once de militantisme dans le corps. Mais je ne pouvais que respecter leur conviction. En marchant, il parlait beaucoup, et souvent à mon intention, comme si je n'étais qu'une paire d'oreilles à convertir. C'était un leader, il avait cet incontestable charisme de ceux qu'on peut suivre au premier regard. Tel un caméléon fourbe, j'ai fait mine de m'intéresser au combat, j'ai fait mine de détester les mesures en cours, alors que je ne les connaissais que vaguement. Bien sûr, je savais surtout que la plupart des étudiants luttaient contre ce qu'ils appelaient le SMIC au rabais. Cette fameuse loi CIP, le Contrat d'Insertion Professionnelle, était considérée comme une arnaque grandiose visant à brader la jeunesse, à permettre aux employeurs de payer moins les jeunes. Le pauvre Premier ministre, persuadé du bien-fondé de sa réforme, se retrouvait dans un tourbillon qui le dépassait ; et nous le surnommions Ballamou. On ne pouvait pas dire qu'on se sentait en confiance ; la jeunesse de gauche avait autant de points communs avec lui que deux droites parallèles.

Nous marchions, et je l'écoutais. Je le trouvais un peu trop exalté, un peu trop éloigné de la réalité ; certes pas d'une manière extravagante, de la même manière que je peux considérer certains discours d'extrême gauche comme de l'utopie stérile. Son constat sur la société était une vérité incontestable. Jamais le chômage n'avait été si important, l'exclusion et le racisme progressaient tragiquement, les différences et les inégalités devenaient des banalités.

Je trouvais tout de même étrange que son discours puisse être nourri de tant de violence alors que l'essence même en était la compassion, l'envie d'aider les autres, de les sortir de la misère. « Il faut tout foutre en l'air dans cette société de merde ! » entendis-je. Toute l'ambiguïté de mon comportement futur prenait aussi sa source dans cet instant. Sans adhérer à certains propos, j'avais envie d'être d'accord avec eux, de m'impliquer enfin dans la vie, d'être moi aussi dans l'illusion de la jeunesse, de me rallier ainsi aux mythes, souvent littéraires ou musicaux, de la révolte. Je me sentais parfois si vieux à cette époque : la maladie de mon enfance, sûrement.

L'après-midi était froide et ensoleillée. Après les grands discours, on se laissa aller à chanter les ritournelles de la contestation. Le bonheur était quelque part. Au milieu de la foule en mouvement, leurs deux silhouettes coupées du monde, je le vis la prendre par la taille. Il l'embrassa comme un soldat qui part au front. Une réelle beauté se dégageait de leur couple ; j'ai trouvé qu'il la rendait belle.

6.

Lui aussi était beau.

Les cheveux longs, plus âgé qu'elle, et presque plus féminin, sur certaines photos. Comme un étrange équilibre entre les deux sexes, la possibilité d'inverser les rôles, de se mélanger, de s'éparpiller dans l'autre, de s'aimer dans une fusion absolue.

Comment se sont-ils rencontrés ? De manière simple, forcément. Elle était amie avec sa sœur, et elle adorait venir dans sa famille. C'était si différent de chez elle. Une famille vivante, une famille bruyante, comme un antidote à la sienne. Au salon, les discussions n'en finissaient pas ; il y avait du communisme dans l'air. Et de temps en temps, le grand frère qui passait par là, qui traversait avec beaucoup d'énergie et d'excitation les pièces et les conversations. Il ne la regardait quasiment jamais, enfant frêle sans intérêt, transparente. Elle lui jetait des regards en coin, ses admirations étaient toujours discrètes. Oui, elle l'admirait. Qu'y avait-il de plus banal que d'être attirée par le grand frère d'une amie ? La différence d'âge avait son importance, c'était déjà un homme, avec une certaine expérience de la vie. Une vie qu'il semblait vivre à cent à l'heure, avec une énergie illimitée. Sa sœur racontait ses exploits sportifs, ses engagements, et parfois, aux oreilles de la jeune fille, son futur amant prenait des allures quelque peu irréelles. Quand il passait près d'elle, elle espérait qu'il ne lui poserait pas de question, certaine de ne pas être en mesure de répondre calmement, certaine que les mots s'embrouilleraient dans sa bouche pâteuse de désir. Mais il n'y avait pas de risques, il ne la voyait pas, tout comme il ne voyait aucune fille, à cette époque. Il sortait d'une histoire complexe. Il n'en parlait jamais, cicatrisant par le silence ; il était dans ce temps où les femmes, associées à la douleur, n'existent plus.

Ce temps qui ne dure qu'un temps.

C'était la veille de la première épreuve du bac, elle révisait chez son amie. Ce soir-là, il vint les déranger dans leur travail, leur dire que tout cela ne servirait à rien, que les diplômes ne feraient que retarder leur intégration dans les chiffres du chômage. Il était drôle, il était vivant. À cet instant, il ne savait pas encore qu'il était séducteur. Il n'avait jamais pensé à la copine de sa sœur comme à une possible petite amie. Mais subitement, en la voyant sourire à ses stupidités, il voulait être le plus stupide possible pour la faire sourire encore et encore, un véritable cercle vicieux de la séduction qui ne serait pas véritablement vicieux, juste léger comme le début d'un étourdissement, quelque chose de non prémédité, la subite puissance de la vie, d'un coup révélée dans sa magie et son étrangeté. Là, l'un face à l'autre, la sœur éclipsée comme consciente elle aussi de l'évidence qui se joue dans la mort du temps, dans un espace où plus rien n'existe que la sensation d'être bien, un 12 juin qui aurait pu être un 12 octobre. L'envie irrépressible de se toucher et d'utiliser les moyens les plus infantiles pour y parvenir, des jeux d'un autre temps, une bataille de polochons pour s'effleurer, se toucher de plus en plus, phalange par phalange, pensée par pensée, incertains de l'autre et certain de soi, puis le contraire, puis le contraire à nouveau, des rires idiots, le plaisir de jouer, l'amour les grappillant méthodiquement dans sa folie, l'amour qui ridiculise le passé et la fiction, mon amour déjà.

Ses lèvres sur ses lèvres, et le lendemain béate dans une épreuve anonyme.

7.

À partir de ce moment, ils n'ont cessé de se voir. Jusqu'à sa mort à lui, ils n'ont cessé d'être ensemble, chaque jour de leur courte histoire. S'aimer, s'aimer pour l'instant, rien ne compte que de s'aimer. Sublimes, ces moments d'amour des premiers jours où l'on s'enivre de la connaissance de l'autre, où raconter sa vie et son passé est une manière de se relier au futur. On raconte les anecdotes les plus insignifiantes avec le sel de l'enjolivement. Le but est aussi de plaire par son passé. On croit que l'être tant aimé aurait pu vous aimer à tout moment de ce passé qu'il déguste des oreilles, alors que c'est son amour du moment qui le fait jouir de votre passé sans intérêt majeur. On veut connaître les contours de son amour, comme, en pleine maladie, les docteurs s'interrogent sur les antécédents du patient.

Pour la première fois, il lui semblait qu'elle prenait de la valeur. Cette façon qu'il avait de la regarder la rendait forte. Elle ne raconta pas ce que les autres voyaient de son caractère, ses tendances à la rêverie, au repli. Elle raconta ses extravagances, son plaisir de faire du vélo sans frein, les quelques fois ridicules où elle a enfreint les lois de l'ordre maternel. Elle rit de ses stupidités en guettant dans son regard une approbation, et il sourit, lui aussi, son amour déjà. Les récits saccadés par les baisers. Elle parle de ses expériences passées, la chose est rapide, peu à dire, quelques adolescents boutonneux, des échanges de salives dans de fausses pénombres, parfois son petit cœur qui a battu, mais ridicule battement comparé à ce battement maintenant, si intense et si fou.

Lui aussi se raconte. Il ne paraît pas si à l'aise, finalement. Dans un premier temps, le fait d'être plus âgé lui a donné la certitude de la domination. Et il dominera cette histoire ; mais là, il paraît fébrile. Étonné, surpris de pouvoir encore aimer. Son trouble est un écho : il voit en elle une autre jeune femme qu'il a aimée. Il n'en parle jamais, mais elle est là, voguant dans son nouvel amour, lui donnant les racines de la force. Il n'est pas rare que les grands amours d'une vie naissent du cadavre d'un premier amour. Il ne l'évoque jamais avec des mots, mais avec des silences. Et puis après le silence, il l'embrasse. Ils se mordent un instant, et se mettent à rire. C'est aussi un rire de stupéfaction.

Elle aimerait qu'il parle davantage de lui, de son intimité, mais il se pare de tout ce qui le révolte. Toujours et encore, son dégoût de la société comme moteur de sa vie. Son caractère varie de la douceur à l'extrême intransigeance. Il parle de la guerre du Golfe, du monde régi par le pétrole, il ne comprend pas le silence international qui a suivi le règlement du conflit. Il ne comprend pas qu'on puisse se taire, qu'on puisse toujours se laisser écraser, c'est un jeune homme comme tant d'autres. Personne ne peut s'inquiéter de sa révolte puisque tout le monde l'a plus ou moins ressentie. Leur amour devient aussi un terrain d'entente. Il développe ses idées pour l'oreille la plus attentive qui soit, elle adhère à ses idées issues de la bouche la plus aimée qui soit. Échange, et sentiment de s'élever dans l'amour et dans la certitude du déclin de la société.

*

S'élever ensemble. Le jeune homme a une passion : la varappe. C'est un sport qui sied à son élégance, sa précision et son intelligence. Dans son club, il s'est tout de suite imposé en réalisant de grandes performances. Certains hommes peuvent être résumés à un détail. Dans son cas précis, une image suffirait, une où il serait accroché à une paroi dangereuse, voulant aller plus haut, défier les limites, se surpasser continuellement. C'est un sport qui enveloppe tout ce qu'il est. Leur amour étant une fusion, elle s'y mettra elle aussi. Et ensemble, ils grimperont.

Jusqu'à la chute.

Quand les adeptes l'ont vue la première fois, jamais ils n'auraient pensé qu'elle progresserait aussi vite. Rapidement, elle parviendra à franchir des parois complexes. Et une fois son exploit accompli, sa satisfaction sera intimement liée à celle qu'elle éprouvera de le voir fier d'elle. C'est pour lui, toujours. « Ne pas le décevoir », des mots qu'elle répétera sans cesse. Tout faire pour ne pas perdre le plus grand bonheur de sa vie. Et quand elle redescend, ils s'aiment plus encore. Lui, monte à son tour sous les yeux de sa fidèle, de sa belle dont il est tout, et jamais il n'a ressenti en lui une telle exaltation, une telle envie de réussir, d'être le meilleur. Première période de l'amour où tout est possible, où l'ouverture est infinie.

*

Elle était gauche en amour ; on pourrait même dire, sans jeu de mots, qu'elle était d'extrême gauche en amour. Dans chaque détail se révèle son hésitation, il s'agit de sa naissance au monde amoureux. Juste avant l'un de leurs premiers rendez-vous, elle pense à se faire belle. Elle se maquille un peu, légèrement. En la voyant, il sourit. Il passe une main sur son visage. « Je n'aime pas trop quand tu te maquilles », dit-il d'un ton perdu entre la tendresse et l'autorité. Elle pense avoir mal agi, elle pense que c'est la fin du monde. Il lui dit à quel point elle est belle au naturel. Mais comment être naturel quand l'amour est passionnel ? Il lui faudra un peu de temps pour se détendre, mais ce ne sera jamais une détente complète ; jusqu'au jour fatal, ils ne seront plus jamais les mêmes, modifiés par la puissance de leur sentiment, modifiés dans leur éternité par le regard de l'autre. L'amour, un hors-piste du naturel. Elle ne cesse de méditer ses attitudes. Quand elle a rendez-vous avec lui, elle réfléchit à sa posture d'accueil. Doit-elle l'attendre en lisant, le guetter, faire semblant de rêvasser, paraître concentrée ? Et puis, il arrive avec ses mots et son sourire (c'est un homme en mouvement ; personne ne l'a jamais vu entrer silencieusement dans une pièce), et ses angoisses disparaissent au moment où il la touche. Un jour du début, elle paraît fatiguée ; il l'interroge :

« Tu as l'air épuisée.

— Oui… Je t'aime », répond-elle.

Elle se moquait des autres, avant. Ceux qui gloussaient idiotement la répugnaient ; et voilà qu'elle leur ressemblait maintenant, qu'elle était béate de bonheur, ridicule comme tous les autres, mais quel bonheur d'être ridicule quand on aime, bonheur de faire la folle devant sa glace, de mimer des tendresses grossières et sublimes, de raconter à voix haute les sentiments les plus enfouis, de rejeter la pudeur au plus loin dans les sphères d'un passé sans lui. Elle ne voulait plus voir personne d'autre ; et pourtant, comment résister à la tentation de les voir, ces autres qui seraient des oreilles à l'écoute de son extase ? Et puis non, se raconter reviendrait à dégrader ce qu'elle vit ; il n'y a pas de détail au génie de la vie, le bonheur ne se dilapide pas. Ce bonheur qui rend immature, immortel.

Pourtant, dans cette folie immortelle, jamais elle n'a éprouvé avec autant d'acuité le sentiment de mort.

8.

Je ne sais que lui dire, pense-t-elle. Ou plutôt, je sais ce que je pourrais lui dire, mais j'ai peur que mes mots ne soient pas à la hauteur des siens. J'ai peur qu'il soit déçu, qu'il parte, que son visage se ferme, j'ai peur qu'il ne me regarde plus comme il m'a regardée.

Elle est silencieuse, pense-t-il. J'ai l'impression qu'elle m'admire un peu. Je suis plus âgé, c'est normal. Je dois avoir l'air sûr de moi. Et pourtant, c'est si difficile. Il ne faut pas qu'elle sache que son silence me trouble, que j'aime en elle quelque chose que je ne connais pas.

J'ai lu un livre ce matin, pense-t-elle. J'ai eu beaucoup de mal à me concentrer, je pensais tout le temps à lui. Il était entre les lignes, il était entre les mots. Il s'immisçait dans les courbes d'une lettre. Je me suis forcée à lire, en pensant que je pourrais lui raconter ce soir mes impressions. Mais j'ai tout oublié maintenant. Le titre existe quelque part sur le bout de ma langue.

Sa bouche est vraiment particulière, pense-t-il. J'ai envie de l'embrasser, mais je l'ai déjà trop embrassée. Je ne veux pas que nous ressemblions à ces couples qui passent leur temps à s'embrasser pour masquer leur silence. Je me sens calme et c'est un sentiment rare.

Impossible de m'en souvenir, pense-t-elle. Impossible de me souvenir de quoi que ce soit. Ma journée est une amnésie. Tout comme mon passé qui s'est transformé en une forme floue. Je suis devenue une attente, chaque minute de ce jour a été une tension vers lui. Il est si beau.

C'est à moi de parler, pense-t-il. Je dois lui dire ce qui m'a encore révolté aujourd'hui, mais, là, à cet instant, il n'y a rien que mon désir de l'embrasser.

J'ai envie qu'il m'embrasse, pense-t-elle.

Ils s'embrassent.

9.

Elle passe de plus en plus de temps chez lui, ce qui veut dire qu'elle passe de moins en moins de temps chez elle. Sa mère s'inquiète, voudrait connaître ce jeune homme que sa fille fréquente, mais inlassablement, elle lui répète :

« Non, maman. Il est très timide. »

Elle, elle est quasiment adoptée dans une famille où l'on peut faire du bruit, où l'on peut parler sans contrôler le volume de ses mots. La vie lui paraît d'une étrange légèreté. On discute, on se dispute, on rit aussi, une certaine simplicité se dégage de ces moments ; elle se sent heureuse ; ou plutôt, par contraste, elle prend pleinement la mesure de son passé dénué d'épanouissement. Tout ne doit pas toujours être lourd, tout acte ne doit pas forcément avoir de conséquence immédiate ; ces choses simples, elle les découvre maintenant. À l'automne, elle abandonne ses études, et part faire de leur amour le terrain unique de sa vie. Ces jours sont d'une stimulation ambivalente : ils veulent construire, penser à faire de belles choses et, pourtant, ils s'enfouissent sous leur quotidien merveilleux. Le rien les envahit dans toute son intensité.

Noël arrive, ils partent faire du ski. L'hiver est particulièrement rude, le froid les enlace davantage. Ils ont une petite chambre, assez loin des pistes. Le premier soir, ils sont gelés. Moins d'un an plus tard, quand ils squatteront une maison sans électricité, le froid deviendra insoutenable. L'inconfort matériel sera l'une des sources de leur dérive, l'idée de faire des braquages pour se sortir de cette misère dans laquelle ils se sont accordés. Ces vacances, leur avant-goût glacial. Ils se réchauffent, ils font l'amour. Le premier soir, il s'endort sur elle. Elle a mal, son bras s'ankylose lentement, le début d'une crampe bercée par le souffle de l'être aimé. Elle pense à le pousser avant d'être surprise par un sentiment qui la parcourt, le sentiment de se sentir heureuse d'avoir mal pour son bien-être à lui. Son sommeil sacré.

Sportifs, ils se réveillent très tôt. Ils sont les premiers à laisser des traces sur la neige. Étrangement, ils n'ont pas l'air amoureux, ce matin. Le ski est un sport, et le sport est une compétition. Elle est beaucoup moins douée que lui, mais elle doit le suivre sur les pistes noires. Pas de médiocrité, jamais. Être dans l'extrême. Les pistes vertes sont réservées à ceux qui ne savent pas vivre. Son autorité est une dictature, une certaine superficialité aussi. Les conditions sont mauvaises, elle se sent mal à l'aise, mais elle ne peut pas le lui dire, elle ne veut pas le lui dire. En haut des pistes, dans l'air pur, elle suffoque discrètement.

Cette piste noire, c'est déjà Nation-Vincennes.

Elle pourrait lui dire qu'elle a peur, qu'elle ne veut pas, il pourrait sentir qu'elle a peur, qu'elle ne veut pas, mais leur amour vrai est un mensonge. Il part le premier, son style est magique, sur la neige les traces de la perfection. Il s'arrête assez vite pour ne pas disparaître complètement dans le brouillard, pour toujours être sous le regard de son aimée.

« Allez viens ! C'est facile, tu vas voir. Suis mes traces. »

Elle ne réfléchit plus, suit son amour, les traces de son amour, invincible dans sa nouvelle inconscience. Miraculeusement, elle arrive à sa hauteur. Juste le temps de lui sourire, de revivre, de l'aimer tellement, mais elle n'arrive pas à s'arrêter, s'étant trop déconcentrée à lui sourire. Elle continue encore quelques mètres, et dérape sur une plaque de verglas. Elle s'est cogné la tête. Il se précipite, et à peine a-t-il le temps de s'inquiéter qu'elle balbutie des mots d'excuse.

« Mais ce n'est pas grave. Je trouve que tu t'en sors très bien », la rassure-t-il.

Mots de douceur, merveilles.

Au fil de la journée harassante, pas vraiment de répit pour les paysages qu'on ne voit pas de toute façon, pas vraiment de baisers, bonheur absolu du sport sans limites. Il aurait aimé faire du hors-piste, il n'aime pas les chemins que tout le monde prend. Il a hésité longtemps, avant de se résoudre. Elle ne peut pas. Elle fait déjà tant d'efforts. Il se dit qu'il devrait être plus tendre parfois. Il se jette alors sur elle. Ils tombent et roulent dans la neige, se libérant subitement de leur réciproque pression.

Le soir, ils sont épuisés. Elle écrit quelques cartes postales, comme des preuves de ce qu'elle vit. Lui, il lit des livres qui lui donnent des idées. Ils sortent finalement, après avoir dîné, et trouvent un bar qui passe de la bonne musique. C'est la grande époque du grunge, le leader charismatique du groupe majeur de ce mouvement ne s'est pas encore suicidé. Dépressif, désespéré par sa célébrité foudroyante, sa musique que l'on entend, son album acoustique, si fragile et si puissant, résonnent comme un chant d'adieu. Il écoute la musique sans savoir qu'il précédera de quelques pas ce chanteur dans la mort. Tous deux ont les cheveux longs et blonds, tous deux ont été associés par certains à l'image du Christ. Une fois assise, est-ce le rapprochement inconscient entre le chanteur et son amant, elle lui dit :

« Je comprends qu'on t'ait surnommé le Christ à ton club. Surtout après une journée de ski, on dirait que tu sors du désert !

— Tu es bête.

— Tu sais, moi j'ai eu une grande période dévote. Maintenant que je te regarde, ça me dégoûte un peu. C'est toi, mon seigneur !

— Je ne pense pas qu'on va prendre d'alcool ce soir, le grand air t'a suffi.

— Tu me trouves belle ? »

En guise de réponse, il l'embrasse sur le front.

Jesus doesn't want me for a sunbeam est la chanson qui passe à ce moment, comme un ange passe pendant le silence.

Un autre couple s'assoit tout près d'eux. Dans un étrange réflexe, il l'enlace, comme si, aux yeux des autres, il était inconcevable de ne pas apparaître comme un couple. Lentement, ils ont appris à ne former qu'une seule et même personne. Avec l'autre couple, ils échangent quelques mots sur la météo, sur les pistes, chacun décrivant ses exploits dans une rivalité sournoise. Le jeune homme commence à parler de lui, ses études d'avocat, la pression, le besoin de se détendre. La jeune femme parle de ses études d'infirmière, la pression, le besoin de se détendre.

On retourne les questions.

Il commence à parler des cours de varappe qu'il a donnés, des cours de philosophie qu'il ne suit presque plus, et comme toujours, il dérive du singulier au général. Il enchaîne sur son implication dans de nombreuses associations, les tentatives de lutter contre ce qu'« on » nous impose. Mais ses mots butent sur le regard étonné de ses interlocuteurs. Il perçoit du vent dans leurs yeux, tout ce qu'il dit est du vent pour eux. Et, aussi étrange que cela puisse paraître, il en est blessé. À cet instant précis, dans ce contexte, il n'a pas la force de convaincre des inconnus, pas la force de leur prouver l'évidence de son choix de vie. Le jeune homme du couple enchaîne sur un autre sujet, méprisant ainsi tout ce qui vient d'être dit.

*

Pour la première fois, elle perçut que, lui, toujours si affirmé dans ses convictions, pouvait se sentir déstabilisé. Elle n'avait jamais vu auparavant les parenthèses de sa force. Elle n'avait vu de lui que ce qu'elle avait imaginé de lui, sa première impression, immuable permanence du coup de foudre. Elle n'avait pas vu à quel point il était important pour lui de briller, de sentir toujours sur lui un regard approbateur, des oreilles attentives. Le malaise ressenti devant ces inconnus si ordinaires prouvait à quel point une certaine faiblesse caressait sa force.

*

Il prétexte leur réveil précoce pour partir. Une fois dehors, après un silence de quelques mètres, il s'énerve subitement :

« C'est vraiment des cons. Des purs produits de la société. Ils vont s'engluer dans les études, avoir une bonne situation, puis s'acheter une belle maison, faire trois gosses, et puis acheter un chien. Ce sera le chien-chien à son papa, et le chien-chien à sa maman. Tout avoir, tout posséder et déposséder les autres. Ce sont des cons. Je leur laisse deux ans pour voter à droite. Dès leur première feuille d'impôt. Dès leur premier tiers provisionnel même, ils prennent leur carte ! Ça me dégoûte tout ça. Que les autres crèvent, ils en ont rien à foutre, hein ?

— Oui, c'est sûr », répond-elle en pensant qu'il y a sûrement plus terrible dans la vie que d'acheter une maison et de faire des enfants.

Il poursuit sa diatribe, libérant ainsi sa frustration. De temps en temps, elle ponctue son discours de « oui » compréhensifs, ne pouvant s'avouer qu'elle ne l'écoute plus vraiment. Les enfants, elle repense aux enfants. Dans les rencontres aussi folles, on peut vouloir faire un enfant tout de suite, encore plus fort que la carte postale comme preuve du bonheur. L'amour de ma vie, le père de mes enfants, a-t-elle pu penser. Avant de l'écouter, à plusieurs reprises, disserter sur le fait qu'il ne comprend pas comment on peut faire des enfants dans cette société de merde. C'est du pur égoïsme, de l'absurdité criminelle. Sans compter la pollution qui va réduire de plus en plus les chances de vivre vieux. Elle voudrait alors l'arrêter dans la neige, l'arrêter dans son mouvement permanent, et lui dire qu'elle ne comprend pas ce qu'il a dit sur les enfants. Lui dire de parfois penser des choses positives sur la vie, sur la société, et sur elle. Elle veut qu'il lui dise « je t'aime » au lieu de passer son temps à haïr le reste du monde. Elle est là, elle est là pour lui, et ils devraient rire ensemble de ces deux cons rencontrés, rire des autres comme font tous les amoureux, se moquer des autres pour s'unir davantage. Mais non, il ne rit pas. Il rit de moins en moins, c'est évident. La vie s'échappe de plus en plus de lui, irrémédiablement, infiltré qu'il est par sa révolte. Le moindre grain dans la mécanique de sa conviction (le vent dans le regard des inconnus) peut le rendre fou. Elle voudrait le prendre dans ses bras, lui dire que demain ils ne skieront pas, que demain, ils se promèneront au hasard du rien. Elle l'aime tellement, son amour énervé. Demain sera un jour pour leur amour, et pour la vie qui doit bien exister quelque part.

Ils s'éveillèrent si tôt que l'avenir était leur.

Pendant leur semaine, elle progressa énormément, skiant toujours plus loin, toujours plus vite. Les conditions étaient meilleures, un soleil d'hiver. Le 31 décembre, ils s'embrassèrent avant et après les douze coups, surtout pas en même temps que les autres ; et, main dans la main, ils entrèrent dans la dernière année qu'ils avaient à vivre ensemble.

10.

Le ministre de l'Intérieur, également président du Conseil général des Hauts-de-Seine, cumulard du pouvoir, a voulu créer un pôle universitaire privé. Doté de sublimes installations, ce pôle, qui n'aura jamais le succès escompté, doit entériner le début des études à deux vitesses. Une pour les riches, une pour les pauvres. Tout près de Nanterre, comme un affront, comme un symbole fabuleux de la lutte des classes, les étudiants de l'université mythique de Mai 68, de l'université dont le cœur est la contestation, vouent une haine à cet homme, le premier flic de

France, sûrement bien plus à droite que son parti politique.

Nanterre, c'est là qu'ils partagèrent une petite chambre pendant quelques mois, à la cité universitaire. C'était une époque fabuleuse, véritable nébuleuse de toutes les idées d'extrême gauche, constellation d'associations militantes. La période, très agitée, était propice aux mobilisations en tout genre. C'est à ce moment-là qu'elle m'a appelé et que j'ai participé avec eux au défilé anti-CIP. C'était un combat parmi tant d'autres, il fallait aider les sans-papiers, les sans-domicile-fixe et les sans-emploi. On pouvait les croiser dans les manifestations de Droit au logement. Bien plus tard, pendant son procès post mortem, quand on évoqua l'assassinat du chauffeur de taxi guinéen, plusieurs voix s'élèveront pour dire que jamais il n'aurait pu abattre un immigré.

C'est pourtant ce qu'il fit, selon les expertises balistiques.

Je crois que je me suis senti coupable d'être si peu engagé dans les mouvements de la jeunesse, dans ce qui se jouait maintenant et qui devait déterminer notre avenir. J'étais comme le couple qu'ils avaient rencontré au ski, l'assiduité dans les études et l'envie d'acheter une maison en moins. Je ne dressais pas toujours un portrait sombre de la société ; il me semblait qu'on pouvait trouver des parcelles de bonheur et peut-être, il est vrai, fallait-il les chercher dans un certain égoïsme. À ce moment de ma vie, j'étais libre, et désespéré de l'être. Je n'avais pas encore rencontré celle par qui j'allais trouver la force de m'enraciner, et d'écrire. Cette impression de flotter donc, sûrement la culpabilité, et la curiosité aussi, tous ces éléments firent que je passai du temps avec eux pendant ces quelques mois. Je les rejoignais dans leurs manifestations, sans pour autant avoir l'impression de les connaître vraiment.

Comme tant d'autres, je demeurerais étranger à leur histoire.

Je ne sais pas à quel moment j'y ai pris goût, mais il s'est passé quelque chose en moi, une sorte de sentiment de faiblesse qui s'était mué en force. Auparavant, il me semblait que toute cette agitation ne servait à rien, et que les excités d'hier se cachaient aujourd'hui sous des costumes trois pièces ; l'impression que tout cela était simplement une étape formatrice qui ne pourrait avoir de répercussions. Et pourtant, malgré tout ce que j'avais pu dire de mon non-engagement, je me suis soudain senti porté par une envie de faire « bouger la société », comme ils disaient. J'ai pris goût à cette vie où l'on se sent utile, y compris dans le déploiement de ses illusions. Vraiment, j'y ai cru. Le constat était inquiétant, il était vital de s'activer, de faire en sorte de modifier le lendemain. Peut-être que son charisme a joué un rôle déterminant dans ma subite motivation ? Je suis passé du statut de spectateur à celui de second rôle. Oui, sûrement est-ce grâce à lui, ses joutes infinies, son ton autoritaire, la puissance de ses mots ; autour de lui, on se sentait vivant.

Mes premiers passages à Nanterre furent assez peu glorieux. J'étais comme un provincial qui débarque à Paris. Je flottais dans le costume du rebelle et je fumais des cigarettes roulées. J'ai lu « Abattons les murs qui cloisonnent nos esprits ! » et j'ai posé ma main sur ces murs. J'ai traversé des réunions, subjugué par l'aura de certains orateurs et, aujourd'hui, je me demande ce qu'ils ont pu devenir. Des jeunes hommes et des jeunes filles capables de soulever des foules, capables de nous faire croire que le gouvernement sera bientôt retourné comme une crêpe. Dans cet environnement universitaire gravitent ceux qu'on appelle les « autonomes ». Dans un premier temps, juste après le drame, les policiers évoqueraient la possibilité d'un crime politique. Ils seraient alors affiliés à ces mouvances autonomes. Mais les enquêteurs concluraient assez vite qu'ils n'avaient pas vraiment fait partie d'un groupe. Et qu'ils n'étaient pas sortis, ce soir-là, avec l'intention de tuer du flic par idéologie.

Ils avaient eux-mêmes créé leur mouvement. Une sorte d'organisation révolutionnaire dont ils étaient les deux seuls membres, prônant la liberté extrême, la haine des flics et des fachos. Quelques mots pour un mode de vie, quelques mots qui pourraient avoir l'air d'une diatribe maladroite, et quelques mots pourtant qui résument leur suprême motivation : la détestation de la société.

Ils étaient autonomes dans leur mouvement.

*

Autonomie, je repense toujours à ce mot qui me semble encore plus fort que le mot liberté. Autonomie : « Droit de se gouverner par ses propres lois, droit pour l'individu de déterminer librement les règles auxquelles il se soumet. » Mais peut-on être réellement autonome ? Il faudrait pouvoir se passer d'argent, ce serait la condition.

*

Un soir, je suis venu boire quelques verres dans leur chambre. Nous étions serrés. Je reconnaissais certains visages et j'en découvrais d'autres. Si les mots étaient sensiblement les mêmes, changeant peu au gré d'une actualité répétitive dans les mauvaises nouvelles, les visages variaient. Plaque tournante de la contestation étudiante, Nanterre était aussi un lieu de passage pour marginaux. Plusieurs fois, je crus entamer une certaine amitié avec quelqu'un que je ne reverrais jamais. Étrange impression que ces unions et réunions, ces passions fusionnelles, ces combats aux allures éternelles, qui pouvaient s'envoler au premier coup de vent. Et dans ces amitiés d'un jour à la tête d'amitiés de toujours, on trouvait beaucoup de suspicion. Si l'on se regroupait autour des mêmes idées, tout le monde se scrutait avec insistance. Il me semblait qu'il s'agissait par moments de la fraternité la plus suspicieuse qui fût. J'ai compris assez vite que cette attitude était liée à la peur de l'infiltration par les RG ou des flics en civil ; tout nouvel arrivant pouvait être une taupe. On les disait partout, tentant de devancer nos projets, tentant surtout de contrecarrer d'éventuelles actions terroristes. Avais-je vraiment un visage de policier en civil pour ressentir ainsi quelques regards appuyés ? J'avais plutôt le visage d'un étudiant de la Sorbonne qui dérapait subitement de sa trajectoire prévue par le faible engagement de ses lectures. Je crois, mais je n'en suis pas vraiment certain, qu'il fit un signe en direction de certains de ses amis, disant qu'il n'y avait aucun problème avec moi : j'étais un des leurs. Et très vite, je me mis à épier les moindres faits et gestes des nouveaux venus.

Lui – je sais que cela va paraître caricatural – se levait beaucoup. On ne peut pas convaincre uniquement par les mots, il fallait des gestes, des mouvements saccadés. Il s'excitait contre les syndicats qui ne servent à rien et ne s'énervent de rien, que des salariés regroupés à ne rien foutre, incapables d'empêcher le moindre licenciement.

« L'ère de la négociation est révolue, il faut agir maintenant !

— Ça veut dire quoi, concrètement ? » demanda un jeune homme, et moi aussi j'aurais pu poser cette question. Oui, ça veut dire quoi ? Comment agir, que faire pour empêcher les patrons de licencier ? Quelques années plus tard, le Premier ministre de la France, un socialiste aux cheveux gris parachuté à son poste après une dissolution ratée de l'Assemblée, avouerait qu'il ne pouvait rien contre les licenciements, enterrant ainsi sa carrière et son parti. Si la gauche ne pouvait pas protéger les ouvriers, alors ils iraient se réfugier dans l'abstention ou les extrêmes. Mais au milieu des années 90, on croyait encore pouvoir faire quelque chose, contrecarrer les dérives cyniques des actionnaires. Époque des dernières illusions, de l'agonie de l'utopie ; bientôt, on allait épuiser nos souffles sur les dernières braises de Mai 68.

Agir, oui, agir. Il ne semblait pas opposé à la violence ou aux méthodes radicales. Mais il évoqua aussi les actions de masse, celles où l'on peut forcer la baisse du prix d'un produit ou d'un service en se mobilisant. Si tout le monde se rebelle, alors les révolutions peuvent être douces.

« C'est ce que certains appellent du communisme immédiat », expliqua-t-il un jour.

Immédiat : on ne peut plus attendre. Lutter maintenant. Il parle d'un regroupement qui aura lieu le lendemain dans une entreprise qui doit licencier :

« C'est fou ! On connaît leur chiffre d'affaires. Plus ils se font du fric, plus ils en veulent. Ils vont délocaliser, et faire fabriquer leurs putains de chaussures en Thaïlande ! Sûrement par des gamins. Et ici, ils vont tranquillement supprimer plus de 300 emplois...

— Les salauds, ai-je soupiré.

— On doit les prendre par surprise, continua-t-il. Et il faudra casser le plus possible de matériel. Puisqu'ils ne comprennent pas les négociations, il va falloir parler leur langage : celui de la brutalité ! »

Il poursuivit son discours, comparant les ouvriers à des marionnettes dans les mains d'actionnaires. Ritournelle de notre temps où quelques hommes décident du sort minable des autres. On prépare tout avec minutie, c'est le cœur de la réunion. On regarde sur un plan les moyens de repli au cas où cela tournerait mal. L'ambiance est bonne, on pense réellement que le futur est une donnée modifiable. On se dit que plus on choquera l'opinion, plus il sera possible de sauver des emplois.

*

Finalement, j'ai dormi sur place, à même le sol. Mon sommeil fut entrecoupé de rêveries où j'étais incapable de savoir si je dormais ou si je songeais. Tout tournait en moi dans un tourbillon d'incertitudes. Je repensais à l'expression « des méthodes radicales ». Me revint en mémoire Action directe, le groupe d'extrême gauche qui assassina le P-DG de Renault, en 1986. Cet homme qui était à la fois le symbole du patronat, et responsable d'une entreprise dont un salarié maoïste avait été tué par un vigile. Méthode radicale. Pouvait-on tuer au nom des idées ? Voilà ce que je lui demanderais quelques jours plus tard. Et il me répondrait qu'il ne pourrait pas le faire, mais qu'il comprenait qu'on puisse le faire. Où était la nuance ?

*

Le lendemain, en arrivant à l'usine de chaussures, je fus aussitôt frappé par l'atmosphère tendue. On était loin des manifestations d'étudiants, des contestations qui reviennent comme des mélodies forgeant la jeunesse. À peine arrivé, j'eus l'impression de capter le cœur de notre époque. La météo n'aidait pas, il pleuvait, le ciel était noir, et pour ne rien arranger, une jeune fille écoutait une chanteuse connue pour ses robes noires, ses yeux noirs, et ses cheveux noirs. Cette époque qui me revient maintenant comme un fouet de tristesse, où l'idée d'avoir vingt ans répugnait à tout le monde, où le futur était aussi flou qu'une vision embuée de larmes.

Eux, bien sûr, étaient au premier plan.
Et lui, bien sûr, au premier plan d'eux deux.

Ils étaient penchés sur ce combat, comme sur le rebord d'une fenêtre. Chaque jour de leur implication, chaque jour de leur contestation les éloignait irrémédiablement de la société, et bientôt, cela paraissait déjà si clair, ils ne pourraient plus faire marche arrière. Étrangement, ce chaos semblait organisé. Qui tirait les ficelles, nul ne le savait vraiment. Mais nous étions plus de trois cents sur le site. Il était très excité :

« Je n'ai jamais vu ça pour un regroupement organisé au dernier moment ! On va les faire céder, les salauds. On va tout casser ! » cria-t-il.

Devant l'usine, on voyait de grands portraits de sportifs sponsorisés par la marque. Des footballeurs souriant à pleines dents, des ballons en or, des buts sous les flashs et les hourras, véritable royaume de la paillette où la réalité est reléguée loin des regards. Nos pieds achetaient ici du fantasme.

Plusieurs jeunes entrèrent en courant dans l'usine. Les vigiles ne tentèrent même pas de les en empêcher. Ils ne semblaient pas vraiment paniqués, souriant presque de ce débordement inattendu. Des projectiles furent lancés pour briser les grandes baies vitrées. Les éclats de verre fusèrent. Mais aussitôt, une vingtaine d'hommes se déploya, et je pus aussi apercevoir dans l'usine des flics menottant des jeunes. Le regroupement était infiltré par de nombreux policiers en civil. Tout le monde se mit à courir dans tous les sens, chacun pour soi. Autonome. Mon cœur pouvait s'arrêter. Elle était à côté de moi, ne montrant aucun signe de panique, jusqu'au moment où elle vit qu'il ne nous avait pas suivis. Nous nous sommes arrêtés subitement. Je me suis retourné et je l'ai vu. Il était sur une voiture, surplombant les scènes d'arrestation. Debout, immobile, il toisait les flics. Nous ne pouvions pas voir son regard, et pourtant, il était si facile d'imaginer sa haine. Elle se mit à crier :

« Putain, il va se faire choper ! »

Et dans sa voix, j'ai senti bien plus d'admiration que d'angoisse.

« Il est fou... » ai-je murmuré.

Je ne comprenais pas ce qu'il faisait. Les flics avançaient vers lui, peut-être intrigués par l'attitude de ce jeune homme à la révolte passive. De cette révolte tout en violence retenue. À côté de moi, je la sentais surexcitée, ne sachant que faire : devait-elle le rejoindre ou l'attendre ? Il était difficile de savoir précisément combien de temps cette scène avait duré, mais une seule seconde avait suffi pour figer l'image du courage. Au moment où les flics s'apprêtaient à l'interpeller, il sauta de la voiture, et nous rejoignit en courant, sans être poursuivi.

Quand il fut à notre hauteur, nous ne sûmes que lui dire. Elle s'est approchée de lui, s'interdisant toute marque de tendresse. Il était livide. Et puis nous avons continué à courir en silence. Nous nous sommes retrouvés une dizaine sous un Abribus à plusieurs centaines de mètres de l'usine. Nous étions trempés, je ne savais pas si je devais être excité ou déçu. L'un de nous s'adressa à lui :

« Tu as pris trop de risques. Tu n'aurais pas dû rester...

— Je voulais voir leurs regards à ces salauds !

— Les salauds, ce sont ceux qui nous ont vendus.

— On ne peut pas mener des actions de cette envergure. Il faut agir par petits groupes », conclua-t-il.

Sous l'Abribus, l'atmosphère devint vite insoutenable. Tout le monde se regardait. Elle était assise près de lui. Il me semble qu'elle était la seule à éprouver une certaine joie. Il n'y avait plus rien, la pluie continuait de battre, aucun mouvement, aucune indication géographique, je ne savais même pas où nous étions, avec qui j'étais. Il fallait agir vite, on ne pouvait rester ainsi, sans rien à espérer qu'une pneumonie. On se remit à courir vers une station de RER.

La lutte commençait.

11.

L'année fut noire. Jamais le nombre de suicides n'avait été aussi élevé chez les jeunes. Le désespoir gangrenait les perspectives. Pour lutter contre le sentiment d'exclusion, ils étaient de plus en plus nombreux à se radicaliser en rejoignant les mouvements d'extrême gauche. Une tendance qui ne cesserait de s'amplifier ; les électeurs, dans une progression continue, rejoindraient les marges de la démocratie. Entre la jeunesse et le pouvoir, le fossé se creusait ; et les personnalités en poste y étaient pour beaucoup.

Jamais un Premier ministre n'avait paru aussi vieux, un vrai parachuté de la Quatrième République. Jamais un ministre de l'Intérieur de droite n'avait paru aussi à droite. Il venait de proposer une loi « Sécurité et Liberté », visant à affaiblir les libertés individuelles, à grignoter l'autonomie de chacun ; c'est ainsi, tout du moins, que la loi fut perçue par de nombreux jeunes. Elle visait, entre autres, à multiplier le nombre de policiers, à placer des caméras dans les rues, à légaliser les fouilles et les perquisitions sans mandat. Mais pour l'imposer, il fallait un événement dramatique, un choc dans l'opinion. Certains ont pensé que les Renseignements généraux, qui avaient parfaitement infiltré les mouvements autonomes, attendaient qu'ils commettent un crime (eux ou d'autres, d'ailleurs) pour que le gouvernement puisse enfin faire passer les lois les plus sécuritaires.

Finalement, après l'enchaînement des manifestations, le gouvernement avait retiré son projet de loi qui visait à créer un SMIC au rabais pour les jeunes. L'engouement fut oublié aussi vite qu'une chanson d'été. Seuls les irréductibles allaient continuer à se battre. Dorénavant, tous les deux consacreraient leur vie au militantisme.

Ils peuvent vivre dans la chambre de Nanterre jusqu'à la fin de l'année universitaire. Deux mois encore. Ses parents, à qui elle rend visite chaque semaine, lui donnent un peu d'argent. Elle va chez eux aussi pour laver son linge. Son monde s'est réduit à lui, et à leurs actions. Elle travaille dans une pharmacie, grâce à une relation remontant au temps où elle avait envisagé des études de médecine. Deux fois par semaine, elle met une blouse blanche. Il vient parfois la chercher, trouvant assez érotique, cliché parfait, son amour sous la blancheur. Mais un jour de mai, il est entré dans la pharmacie avec un autre visage ; plus fermé qu'à l'habitude. Un visage tourné vers leur avenir. Il n'est pas entré en parlant, a esquissé un bonjour, mais personne ne l'a vraiment entendu, ce bonjour mort-né dans son intention. Il a effleuré quelques produits sans y prêter attention. De l'autre côté du comptoir, elle a cherché son sourire. Il lui reste encore quelques minutes de travail. La patronne aime bien le petit ami de son employée occasionnelle ; elle est comme tout le monde, car tout le monde l'aime bien. Mais ce jour-là, il semble presque menaçant. Sa gentillesse est un oubli.

Un client s'énerve de ne pas être servi assez vite. La patronne jette un regard sévère sur sa jeune employée, et, lui, il capte ce rapport hiérarchique. C'est un regard sans brutalité pourtant. Tout juste l'esquisse d'un reproche. Mais lui, qui est déjà dans un mauvais jour, ne peut supporter cette goutte d'eau patronale. Il s'approche et dit à celle qu'il aime :

« Viens, on s'en va.

— Mais je termine dans cinq minutes.

— Non, tu termines tout de suite. Et tu termines pour toujours. Je t'attends dehors. »

À son habitude, il est d'un calme absolu pendant ses excès d'autorité. Elle a eu peur de son expression, peur de le décevoir, encore et toujours. Alors, elle n'a pas réfléchi une seule seconde et elle sort sans même dire au revoir. C'est fini. La vie sociale est finie. Sans explication, sans réelle emprise sur la réalité, le moment a été étrange, presque sans mots, d'une évidence qui ressemble à leur évidence.

« Tu ne peux plus travailler avec ces cons. C'est fini tout ça. »

Elle se serre contre lui. Elle sent bien son malaise, mais elle n'a d'autre alternative que l'obéissance pour l'apaiser. Faire tout comme il dit, pour le rendre heureux et le rassurer. Ce moment qui aurait pu être une joie, ce moment où l'on envoie valser les exploiteurs, ce moment de libération aurait dû être une joie, mais c'est une souffrance. Il marche en silence, fermant les poings, comme pour ne pas pleurer.

Que s'était-il passé ? Personne ne le savait vraiment. Bien sûr, il y avait eu la désillusion de voir les mouvements étudiants retomber comme un soufflé, sans même chatouiller la cheville de Mai 68. Bien sûr, il y avait sa haine de la société, ce malaise le rongeant, mais que s'était-il passé d'autre ? Lui si plein de vie, si serviable, si tendre parfois, à quel moment précis s'était-il senti brisé ? Il avait décidé de ne plus être animateur sportif, ne supportant plus les rapports employeurs-employés. Et puis, des parents s'étaient plaints de certains discours. En leur apprenant à grimper, cherchait-il aussi à leur bourrer le crâne ? Il ne délaissait jamais ses convictions, devenant maladif de la persuasion, véritable machine à propagande. De toute façon, la vie sociale devenait de moins en moins possible. Qu'allaient-ils faire, tous les deux, maintenant, sans emploi et sans perspectives ? Leur temps passé à s'aimer était déjà un souvenir. Ne resterait, désormais, que le malaise des incertitudes. Malaise qu'elle tenterait inlassablement de parsemer d'éclairs enfantins, de beautés surgissantes dans le gris ; à cet instant, elle lui demanda de s'asseoir sur un banc, et de l'attendre. Il détestait les surprises, car il avait l'impression qu'on allait lui imposer quelque chose. Il attendit pourtant, et elle revint si vite, avec deux sucettes. Assis sur le banc, leurs langues allaient changer de couleur, et ce fut la plus douce des mutations.

Le temps passerait plus lentement à présent. Elle n'osait pas le questionner sur l'avenir. Elle devait lui faire confiance, ne pas mettre en doute ce qu'il voulait faire. Elle avait toujours admiré son intelligence, chacune de ses paroles était rangée dans son corps comme des livres dans une bibliothèque. Alors, il ne fallait surtout pas le presser, ne pas lui demander ce qu'ils feraient quand ils n'auraient plus la chambre, surtout ne pas lui demander comment ils subviendraient à leurs besoins sans travailler. Jamais ils ne rentreraient dans le système. Pourtant, quand on lui proposa de faire du baby-sitting, elle accepta. Gênée, le visage pimenté de rouge, elle accepta. Chaque soir, elle allait s'occuper de deux enfants, en prétextant une rechute de son père. C'était une famille bourgeoise, le père était conseiller municipal à la mairie de Colombes. Surtout ne pas le lui dire, surtout ne pas lui dire qu'elle garde les enfants d'un homme de droite. Elle se sent en contradiction avec leurs idées, et pourtant, contrairement à lui, elle est prête à faire des compromis. Elle sait que la vie ne pourra être vécue autrement. Dans quelques jours, c'est l'été. Ils vont pouvoir partir en vacances, avec l'argent qu'ils ont mis de côté. Elle ne reverra plus les enfants à la rentrée, elle a réussi à garder son secret, pendant toutes ces semaines, elle a eu si peur qu'il l'apprenne. Il aurait pu la quitter pour ça, juste parce qu'elle gardait des enfants qui voteraient plus tard à droite.

De plus en plus taciturne, il donne l'impression d'un soldat qui sombre. Comme les êtres dont la tête est un tourbillon d'idées, il est au bord de la dépression. Ses sourires deviennent aussi rares que des pluies d'été. Quand on le voit, on pense à l'expression « être l'ombre de soi-même ». Et pourtant, soudain, illuminé comme au premier jour, il la retrouve un soir, excité comme il n'a pas été excité depuis longtemps, il lui donne tout son amour alors, amour surgissant, amour merveilleux du premier moment, il lui prend la main et lui impose de courir. Ensemble, ils vont vite. Il lui dit que ce n'est pas très loin, il faut juste marcher un peu, marcher un peu mais vite, il est heureux, depuis longtemps elle ne l'a pas vu heureux comme ça. Il lui met un bandeau sur les yeux pour la guider vers un endroit qui sera leur endroit. Il lui dit de faire attention où elle marche, aveugle qu'elle est à ce moment, amoureuse. Une porte s'ouvre, et il ôte le bandeau. Elle sourit, sans même voir de quoi il s'agit, car elle sait qu'il a besoin de son enthousiasme.

« C'est une maison abandonnée. Je me suis renseigné, ça fait deux ans qu'elle est vide. On emménage ce week-end, c'est notre maison !

— C'est…

— Et tu vas voir, il y a un jardin, on pourra faire des barbecues. »

Elle s'approche de lui et l'embrasse. Elle est si heureuse de le voir sourire. La maison est totalement insalubre, mais elle s'en fout. Cela n'a aucune importance. Être avec lui, c'est tout ce qui compte, être avec lui et le soutenir, il a besoin de ça. Elle veut savourer, faire de ce moment un moment éternel, que son amour sourie à jamais, finies les angoisses et les dépressions, finies les heures taciturnes qui le rendent instable et autoritaire. Ils sont là tous les deux maintenant dans leur bonheur matériel, leur bonheur dont elle surjoue sa partition.

« Comme nous allons être bien, dit-il.

— Comme nous allons être bien », dit-elle.

Et dans leurs mots, la possibilité d'une tristesse.

12.

Au début de l'été, ils décident de partir quelques jours faire de l'escalade. Ils descendent en stop vers le Massif central. Pour arrêter les voitures, c'est elle qui se met en avant. Elle sert d'appât. Et cela fonctionne assez bien. Ils enchaînent les conducteurs et les sujets de conversation. Elle ne parle pratiquement pas, elle regarde défiler le paysage monotone de l'autoroute, pensant à toutes les vacances de son enfance et de son adolescence, toujours dans le même village, ne voulant pas admettre qu'elle rêverait d'y passer quelques jours, revoir des copines de tous les étés, parler pour ne rien dire, être légère, ne plus réfléchir, dormir dans des draps propres, respirer un peu loin de lui, pas longtemps, deux, trois jours, le temps de se replonger dans la stupidité heureuse.

Souvent, elle avait l'impression que sa vie était soumise à son jugement. Chacun de ses gestes avait pour ambition de ne pas le décevoir. Il fallait lutter à chaque instant pour conserver son estime, pour survivre dans son cœur. Il fallait toujours s'accrocher, être à la hauteur, et cette expression prenait aussi son sens propre au pied des massifs à franchir. Ils montaient ensemble, et lentement, alors qu'elle se sentait étouffée par l'insidieuse pression de l'accomplissement sportif, elle se libérait. Comme si le manque d'oxygène était ce qui leur convenait le mieux. Un instant, elle se sentit parcourue par un frisson de bonheur d'une rare intensité. En montant de plus en plus haut, en montant toujours, ils avaient l'impression que rien ne pouvait leur arriver. Grisés et excités, ils vivaient leur vie comme si la société était au-dessus des nuages. Se cachait dans l'effort le temps supérieur de leur amour. Rien n'est plus symbolique que ces moments où l'un offre sa vie à la surveillance de l'autre, où l'un tient la corde pendant que l'autre monte. Les deux vies regroupées en une seule dans un sentiment de puissance absurde, puisque au-dessus du vide, ces vies sont la fragilité même. La dépendance mutuelle qu'implique l'alpinisme est la définition de la passion amoureuse dans ce qu'elle a de plus jouissif mais aussi parfois de plus avilissant. Ce n'est sûrement pas pour rien que l'on classe ces activités dans la catégorie « sport passions ».

Dépendance mutuelle, et pourtant il la conduit, comme au ski, dans des endroits difficiles. Il veut qu'elle se dépasse, la mettre à l'épreuve, il ne supporte pas ses possibles faiblesses, son amour est une intransigeance, un égoïsme, l'antichambre d'une haine. Ils se retrouvent sur une paroi lisse, bien trop lisse pour elle, avec si peu de prises. Il est passé le premier, et maintenant, il lui dit de faire comme lui. La pression envahit son corps qui fluctue dans un incessant balancement de la chaleur à la froideur. Elle voudrait pleurer, elle voudrait retourner en vacances avec sa famille, elle ne voit pas où elle peut mettre ses mains, elle ne peut pas avancer, elle ne trouve pas le chemin. Il lui explique lentement, puis il s'énerve progressivement. Ne trouvant aucune prise, elle pose son doigt dans le mousqueton. Il se met alors dans une colère folle :

« Tu enlèves tout de suite ton doigt ! Si ça se décroche, il va s'arracher !

— Mais je ne vois pas par où passer.

— Tu vas y arriver ! Concentre-toi un peu ! »

Les minutes sont des agonies. Dans le noir absolu, elle repère une brèche, un filet de lumière, ridicule mais fabuleux. Elle passe. Elle est épuisée, mais heureuse. Il s'excuse, et dit qu'il n'avait pas le choix. Il devait crier. C'est un exploit, un si beau moment, il ne manque plus que l'amour à leur bonheur musculaire.

Finalement, les vacances sont écourtées. Leur matériel n'est pas à la hauteur. Ou alors le sport est un passe-temps, et les passe-temps ne sont plus au goût de leurs jours, il faut avancer vite, ne plus perdre son temps. Ou bien, c'est juste qu'ils n'ont plus aucun plaisir à être là, tous les deux, dans cet effort physique qui les rend incroyablement secs.

13.

L'été est toujours la promesse des oublis. Les premiers temps dans la maison furent merveilleux (un étrange répit). Il faisait si beau et si chaud. Elle avait tenté d'embellir les lieux en y mettant des guirlandes, vestiges d'un mariage, et de grandes affiches de cinéma. Il avait partiellement débroussaillé le jardin. Quelques herbes folles devaient subsister pour masquer leur présence. Ils n'avaient pas assez d'argent pour repeindre les murs fissurés. La maison n'avait ni l'eau ni l'électricité. Ensemble, ils allaient au square pour remplir des bouteilles. Et le soir, les pièces scintillaient sous les bougies. Les journées étaient longues alors ; avec l'automne, l'obscurité prendrait progressivement possession des lieux.

Comme un couple normal emménageant dans un appartement normal, ils pendirent la crémaillère. Je fus l'un des invités, et comme un invité normal, je me suis fondu dans la masse. C'était une superbe après-midi de juillet. Il y a des moments où tout peut exister sans la pression du temps, des échappées où l'on est protégés de l'infinie procession des minutes. Ici, dans ce temps sans rien, nous nous sommes sentis bien, je crois. Jamais plus, je n'ai retrouvé l'atmosphère de ce premier jour, l'ambiance du temps suspendu.

Je suis passé à deux ou trois reprises pendant l'été. Ils aimaient recevoir, souvent le soir, et il ne fallait pas faire trop de bruit pour ne pas se faire repérer. Si le voisinage savait que la maison était occupée, il ne fallait pas pour autant se mettre en pleine lumière. Du côté du jardin, on respirait moins l'air de la proche autoroute. Quand le soleil se couchait, on laissait place aux bougies ; une certaine magie se dégageait de ces moments, une maison inhabitée et délabrée sous les ombres. Cette poésie était surtout visible aux regards de passage.

*

Nous étions jeunes, nous vivions avec la conscience de notre jeunesse, de ce temps si vite perdu comme le rabâchent chansons et poèmes, il fallait savourer sa jeunesse, profiter de chaque instant de ce temps que tout jeune ne peut savourer. Nous voulions surtout rompre avec les illusions des autres, des parents et de la pression sociale qui attendent qu'on se fonde dans le moule, qu'on s'euthanasie à la discrétion bourgeoise. Comment ne pas vouloir tout saccager de cette absurdité tracée, de ce lendemain sans saveur si ce n'est celle de l'amertume et de la résignation. Le rêve de vivre chaque seconde comme une entité, sans que cette seconde soit liée à la prochaine dans une chaîne insoutenable qui propulse vers un avenir à définir. Vivre pleinement, cela revient à ne pas vivre pour le futur ;

la jeunesse est un adultère, une histoire d'amour impossible.

Funambules, beaucoup d'entre nous marchent au-dessus du vide. Le dérapage est inscrit potentiellement dans chaque pas et chaque souffle. Comment se fait-il que nous soyons encore là, libres et vivants, alors que nous avons tout frôlé ? Leur histoire : une tentative stupide de braquage qui devient une dérive sanglante, la folie en guet-apens de l'insouciance. Tout cela gît dans l'ombre de la jeunesse. C'est aussi pour ça qu'ils sont devenus un symbole de la révolte. Derrière l'image des tueurs, il y avait celle d'une jeunesse prête à tout pour rompre le cou de la société, prête à tout pour respirer dans l'atmosphère oppressante de ces années.

Les foules jeunes qui passent, dans les ombres accentuées par la pénombre, les foules incertaines, et ces visages que je ne suis plus certain de reconnaître me procurent parfois une sensation de vertige. J'ai l'impression que cette génération-là n'a pas existé. Perdue entre celle en fleurs des années 70, et la génération sans passion du nouveau millénaire. Les années 90 étaient la frontière entre ces deux époques, formant un étrange paradoxe : une jeunesse désactivée mais combattante, une jeunesse morne mais excitée. Les années 90 : l'antichambre de la mollesse. La joie de vivre me paraissait être un effort. On préférait fumer sur de grands canapés, et s'avachir dans une brume épaisse. On parlait, on parlait beaucoup. Dans la maison, il y avait des échos permanents de discussions, et toujours les mêmes mots revenaient comme des boomerangs de la contestation. Elle et lui, si unis ces soirs-là, passaient voir chacun de nous, avec lenteur, et l'on pouvait presque déceler l'immatérialité de leurs pas de fantômes.

Impression de zombies, comme si la vieillesse grignotait du terrain ; bientôt, on naîtrait vieux. Je suivais alors du regard une fille au visage anguleux et sans âge. Mal éclairée, elle demanda aux hôtes où ils avaient trouvé ces si belles affiches. C'est elle qui répondit, se plaçant précisément sous celle de « Metropolis », angoissante image, contrastant terriblement avec son angélisme hospitalier, fière que sa décoration suscite interrogations et admirations. Dans son souffle, en tendant l'oreille, on percevait comme l'écho d'une maîtresse de maison qui s'ennuie dans une vaste demeure de province. Les affiches dans leur maison étaient le signe incontestable d'une réelle cinéphilie. On a vu en eux aussi le symbole de la jeunesse nourrie à la violence du cinéma. Après le drame, on a parlé de la responsabilité de *Tueurs-nés* et de *Pulp Fiction* qui triomphaient alors sur les écrans. La frontière entre la réalité et la fiction devenait de plus en plus poreuse, disait-on. On pouvait toujours tuer, puisque tout cela n'existait pas. Encore une fois, les clichés qu'on allait leur imposer ne colleraient pas. Leur histoire deviendrait la possibilité pour toute une société de justifier ses angoisses. Il fallait arrêter la violence sur grand écran, installer des caméras partout, rétablir la peine de mort, interdire l'amour.

*

Leur errance désinvolte parmi les convives et les intrus n'était que ma vision partielle des choses. Souvent, les regroupements étaient actifs. Encore et toujours, on parlait de politique et de plans d'action pour améliorer le sort des plus démunis. Un soir, j'ai trouvé surréelle une discussion sur le droit au logement, dans ce lieu si insalubre. Risible et émouvant, c'était comme si un Bédouin s'inquiétait de la sécheresse dans un pays occidental. Certains de leurs compagnons de route étaient de plus en plus sceptiques ; et j'en faisais partie. J'avais le sentiment que toutes les actions menées depuis plusieurs mois n'avaient servi à rien. L'entreprise que nous avions voulu saccager avait licencié sans états d'âme, et sans le moindre retard dans son cynique calendrier. Lui, il continuait d'y croire, et déjà, dans ses mots, on pouvait pressentir l'envie de passer à une étape supérieure. Mais ce n'était certainement pas le sentiment prédominant ; il cachait de moins en moins sa déprime grandissante. Et le fait d'assister au désengagement de beaucoup d'entre nous le rendait encore plus sombre et amer. La vacuité le prenait comme la révolte l'avait pris des années auparavant.

Il essayait encore de souffler sur les braises du combat. Nous étions au mois d'août. Le ministre de l'Intérieur venait de faire expulser des Algériens en situation régulière, estimant que leur présence sur le territoire national était un danger pour la République.

« Regarde ça ! Personne n'a bronché. Ils se sont fait virer sans la moindre preuve. C'est juste une question de gueule. Je n'ai jamais vu un pays aussi raciste que la France. Ça me dégoûte… Et tous ces flics qui font leur sale boulot. »

Il prit alors un verre :

« Je lève mon verre à tous ces connards de flics… Qu'ils crèvent ! »

Beaucoup reprirent en chœur un refrain antiflics, certains restèrent silencieux. J'étais de ceux-là. Ne s'agissait-il que de mots pour lui ? D'une sorte de litanie abstraite, comme pour un adolescent qui chanterait des paroles en anglais sans les comprendre ? Je le fixai un long moment, me focalisai sur sa sueur, et je fus parcouru de violents frissons. Accélérant subitement mon désengagement jusqu'ici progressif, ces mots provoquèrent en moi une véritable cassure. Elle était surtout d'ordre affectif.

J'ai voulu partir sans rien dire, m'éclipser, ne plus jamais les revoir. Mais j'ai attendu un instant, et je me suis retrouvé, en bas de l'escalier, seul avec lui. C'était la première fois que je le voyais si nerveux, il tremblait, et pourtant un petit sourire fendait son visage, comme le signe d'une paradoxale assurance, une arrogance même.

« Tu t'amuses bien ? » m'a-t-il demandé.

Je n'arrivais pas à lui répondre. Et je ne suis même pas certain qu'il attendait ma réponse. Je voulus lui dire que ses mots avaient été d'une grande violence ; lui dire que cette haine ne mènerait à rien. Mais à la manière dont il me regardait, j'ai su que l'on ne pouvait plus discuter avec lui, qu'il était parfaitement fermé. Une vision éclair m'a parcouru : à la Sorbonne, je l'avais vue, elle aussi, avec ce sourire qui m'avait donné l'impression d'une façade fermée. Ils étaient unis dans mon esprit par ces deux images qui se répondaient. Finalement, je n'ai pu que dire :

« Je suis fatigué. Je m'en vais.

— Très bien. Va-t'en. »

Son ton était glacial. Je crois qu'il a senti ce que je taisais. Je me suis senti si mal, j'aurais voulu dire quelque chose, tenter de renouer dans la plus parfaite des illusions les quelques moments où, près de lui, j'avais eu le sentiment de vivre. Il s'est retourné, je ne faisais plus partie de sa vie.

Tout ce que je sus d'eux ensuite, je l'appris par les journaux. Leurs dernières semaines, leur dérive, tout serait décortiqué par la presse. Ils allaient devenir les emblèmes du pourrissement de la société. Tout le monde parlerait d'eux. Ils seraient glorifiés par certains, oubliant ainsi la douleur qu'ils avaient pu semer ; elle serait même surnommée « l'égérie publique n° 1 ». Je ne comprendrais jamais qu'on puisse les admirer. Avoir de la compassion, de la pitié, trouver des excuses, peut-être. En le voyant partir, je me disais, et cette phrase tournait en boucle dans ma tête : « Je ne le connais pas, je ne le connais pas… » Elle non plus, je ne la connaissais pas. Je la voyais maintenant pour la dernière fois. Je me suis approché d'elle, tremblant encore des mots que je venais d'échanger avec lui. J'ai hésité à lui en parler, mais aucun son n'aurait pu sortir de ma bouche en cet instant. J'ai préféré m'approcher de son visage, et lui sourire. Elle m'a dit : « Tu pars déjà ? » Elle n'a pas cherché à me retenir. Je ne savais toujours pas ce que je pensais d'elle, et peut-être que tel était mon avis : une absence d'avis. Juste le sentiment d'avoir voulu la suivre quelquefois, sans trop savoir pourquoi.

DEUXIÈME PARTIE

1.

Ils sont surpris par septembre. C'est la rentrée ; pour la première fois, ils ne rentrent nulle part. Sans argent et sans logement décent, avec leur amour pour combler la béance de leurs incertitudes. Leur amour et uniquement leur amour, la nourriture indigeste de leurs secondes. Elle cherche toujours à sourire, à faire en sorte que tout aille bien. Il est de plus en plus irritable et irrité. Il tourne en rond, infini tourbillon produisant du vent. Ils se touchent avec moins de douceur, et c'est aussi une certaine beauté qui émane des frontières de la brutalité.

La sensualité la plus acide est souvent là, dans l'ennui.

Il ne cesse de parler, et elle d'être une oreille. Il attend d'elle qu'elle réponde, sans se rendre compte qu'il soliloque et s'enferme dans la stérilité de l'amertume. Il cherche toujours à la retrancher dans ses contradictions, pour tenter piteusement de créer un conflit verbal, la source d'une fausse émulation. Ils sont comme deux cantons suisses. Elle lui répond au mieux pour le satisfaire, elle tente d'avoir une opinion, elle tente de paraître brillante ; elle grappille les bons points comme une domestique fébrile. Elle veut l'aider aussi, mais cela devient de plus en plus difficile car elle ne peut plus se cacher ; son visage est triste.

Son exigence confine à la tyrannie. Ce n'est pas la première fois qu'il exerce sur une autre personne une fascination dangereuse ; périlleuse car s'il retire son attention, que devient la personne aimée ? Son amour est un meurtre, son amour est si peu amoureux, capable d'entraîner une femme aimée dans son déséquilibre, dans la mort bientôt. Quand il lit le soir, il ne supporte pas qu'elle s'endorme avant lui ; elle est condamnée à être son public. Il lui lit maintenant ce passage de *Souvenirs obscurs d'un juif polonais né en France* : « Aucune jeunesse n'avait de sens qui ne risquât de mourir violemment, et à ma jeunesse je voulais donner un sens qui ne fût pas de me vautrer dans le plaisir de vivre. »

« Oui, lui dit-elle, c'est beau. »

Et ses yeux sont lourds, lourds de leur journée, et lourds de lui.

Son amour est un meurtre, mais c'est le plus beau des amours. Balancée maintenant comme une dérive cassée, les sensations ne cessent d'alterner en elle, passant des réminiscences jouissives de son exaltation à des sommets de dépression.

L'ambiance est si malsaine. Sous son regard, elle a l'impression de tout faire de travers. Elle réfléchit ses mots et ses gestes. Subitement, dans un accès de conscience, elle se voit comme elle a été ; l'enfermement de son adolescence. Tout revient dans un écho cyclique et cynique. Tous les chemins mènent au passé. Jamais le sentiment de se sentir bien, de sourire sans raison. Elle voudrait tant revivre les premiers moments avec lui, revivre le vestige de ce qui a été si majeur. Et elle le revit, sans cesse, en mémoire, soufflant des mots d'amour fou dans le quotidien de leur amour desséché.

Un matin, elle a si mal dormi. La veille, ils se sont disputés. Le sujet de la brouille est flou au réveil, comme un rêve dont les bribes retenues ne permettent pas d'établir un souvenir précis ; ou plutôt, la dispute portait sur tant de choses, toujours les mêmes absurdités, des mots éclatés ici et là, surtout les siens, dans leur grande maison délabrée, des mots perdus comme on parle de balles perdues. Le réveil alors, et la lumière est vive. Derrière les volets, il y a un jour de septembre. Ce matin, elle se sent certaine, réveillée avec une conviction, sa première conviction depuis si longtemps. Elle veut partir, elle veut le quitter. Elle se lève pendant qu'il dort, et surtout ne se retourne pas ; ne pas le voir, ne pas le voir. Elle sort de la chambre, s'habille, hésite à écrire un mot, mais y renonce finalement. Qu'aurait-elle écrit ? Je pars ? Je te quitte ? Je t'aime, mais ce n'est plus possible ? On se tue ? Nous ne sommes pas heureux ?

Tout est de ma faute ? Je n'en peux plus ? Non, elle ne peut pas figer une seule de ces pensées sur du papier, car ses pensées sont instables, changeantes et mélangées, des pensées de passion.

Elle marche dehors maintenant. Il est si tôt, elle pense à ce qu'il fera au réveil. Il va la chercher, et puis il va l'attendre, mais que va-t-il faire quand il se rendra compte qu'elle ne reviendra pas ? Sera-t-il fou ou sera-t-il soulagé ? Elle espère de toutes ses forces qu'il viendra la chercher, qu'il s'excusera pour son comportement insupportable, qu'il se mettra à genoux pour lui dire combien il l'aime. Alors, elle ne résistera pas la moitié d'une seconde, elle se jettera dans ses bras, en criant que tout est de sa faute. Elle le quitte, mais elle ne le quitte absolument pas. Elle le quitte comme un lâche qui pense au suicide, tout en sachant cette hypothèse impossible. Elle veut lui dire son étouffement, c'est tout. Mais s'il le prend mal ? S'il ne vient pas la chercher ? Il est si sévère, il ne lui pardonnera jamais cet abandon, fût-il faux.

Lentement, elle marche plus lentement.

Lentement, d'autres pensées l'envahissent. Comment a-t-elle pu imaginer un seul instant le quitter ? Son absurdité la rattrape violemment. À peine arrivée au RER, elle fait demi-tour, et retourne en courant vers la maison. Jamais elle n'a couru aussi vite.

« Je suis folle », murmure-t-elle plusieurs fois.

Une fois arrivée, elle contourne la maison, escalade le grillage, ouvre la porte, monte deux par deux les marches de l'escalier, entre dans la chambre dix minutes après en être partie. Elle s'approche de lui, doucement, sans faire de bruit surtout, tentant de maîtriser son souffle saccadé. Et elle s'assoit au bord du lit, attendant son réveil comme le matin du monde.

2.

Le froid augmente, et c'est le froid aussi qui les jettera dehors dans leur folie d'un soir. Plus rien ne va alors, l'été dernier semble être un autre siècle. Plus les jours raccourcissent, plus ils paraissent longs. On entend le vent s'infiltrer dans les brèches. Ils réduisent leur occupation de la maison à une seule pièce. Ils restent longtemps dans le lit, sous d'innombrables couvertures. Ils lisent beaucoup. Bientôt, ils basculeront dans l'action. Bientôt, il criera ne plus vouloir vivre comme un clochard. Mais pour l'instant, avant le bruit et la fureur, il y a des jours où le rien les rend fous.

Il est obligé de se taire, car il ne peut pas répéter à l'infini les mêmes choses. Tous les sujets de conversation ont été épuisés. Ils échangent du silence, et c'est peut-être là, dans ces moments, qu'ils se retrouvent le mieux. Subitement, comme une météorite dans sa lassitude, il lui demande :

« Ce petit blond, avec qui tu es sortie avant moi, pourquoi tu n'as pas couché avec lui ?

— Je n'avais pas envie.

— Pourquoi n'avais-tu pas envie ? Tu n'étais pourtant pas farouche, tu es sortie avec lui le jour où tu l'as rencontré.

— Je ne sais pas.

— Tu n'avais pas envie ou tu ne sais pas. Ce n'est pas la même chose.

— J'avais peur, je pense.

— Tu avais peur... Je n'ai jamais entendu une réponse aussi fausse. Tu n'as peur de rien.

— Je t'en prie, arrêtons cette discussion.

— Non, je veux tout savoir de tes pensées, je veux tout savoir de chaque garçon que tu as désiré, dans le moindre détail, je veux tout savoir de tes pensées quand tu embrassais tes mecs d'avant...

— Écoute, je ne sais pas. Je voulais faire comme les autres filles, c'est tout.

— Ce n'est jamais une réponse, ça ! On est responsable de ses actes.

— Non, c'est vrai. Ces garçons me plaisaient. Je les trouvais beaux ou intelligents.

— Mais il y en a eu combien ?

— Je ne sais pas. Trois. Ou peut-être quatre.

— Tu n'es pas capable de te souvenir précisément. Au fond, tu étais une allumeuse. Et même là, avec ta façon de me regarder, toujours ton regard vers moi, tu cherches encore à me séduire comme tu les as tous séduits.

— Mais je n'ai jamais aimé que toi.

— Aimer, c'est quelque chose de si facile pour toi. Ça me dégoûte tous ces mecs qui t'ont touchée.

— …

— Et tu l'as revu ?

— Qui ça ?

— Lui, le dernier avant moi, le blond.

— Non.

— Dis-moi la vérité !

— Je l'ai revu, une fois par hasard. Un jour où j'allais chez mes parents.

— Ça t'a fait quoi de le revoir ?

— Mais je ne sais pas. Ça ne m'a rien fait. Arrête, je t'en prie. »

Il se retourne alors subitement, et baisse la tête. Sa posture si étrange, comme une volonté enroulée sur elle-même, respire son désir de ne jamais s'arrêter.

Totalement stériles, ces discussions s'éternisaient. Dans la folie paradoxale de la passion, il cherchait une faute dans le comportement de celle qu'il aimait plus que tout. Pourquoi une faute ? Pour pouvoir fuir ? Tous deux s'étaient enfermés sans savoir à quel moment précis les éléments avaient dérapé. Était-ce l'amour de se tuer ainsi ? Était-ce l'amour que de ne pas pouvoir respirer, et de trouver pourtant que partout ailleurs l'air est irrespirable ? Tous deux dans leur action mutuellement venimeuse. Il enchaînait les questions les plus absurdes, dix fois, cent fois, mille fois la même interrogation dans une mécanique de haine. La vérité, il voulait la vérité, et elle hésitait à travestir cette vérité pour satisfaire son absurde quête. Mais que pouvait-elle inventer ? Il n'y avait rien à dire d'avant lui.

Épuisée, elle se lève. Trois jours auparavant, elle a couru pour le retrouver, ce matin où elle a voulu le quitter. Et maintenant, elle le regarde, il paraît si mal, il paraît mort pour le bonheur. Ce n'est pas toujours ainsi, mais de plus en plus, il est traversé par la plus terrible des noirceurs. Le rêve est fini. Dans sa tête, plus rien. Elle descend l'escalier comme une automate.

« Je veux la vérité ! » crie-t-il.

Il la poursuit, leurs pas s'accélèrent.

Dans le jardin, il se met à la pousser. Ce dimanche a été une journée de mots vides. Et maintenant, ils se font mal, un peu, beaucoup, à la folie. « Quelle vérité ? implore-t-elle. La vérité, c'est ce que nous vivons maintenant. » Et puis, elle veut partir. Il se met en travers de son chemin. Lentement, des fissures dans leurs visages annoncent des sourires. Ils tombent à la renverse, et c'est le souvenir de leur bataille de polochons qui hante leur esprit ; ils ne savent pas à cet instant qu'ils ont pensé exactement la même chose. Au moment où ils tombent, ils libèrent enfin le poids qui les écrase, le poids qui l'écrase lui surtout, et elle par ricochet. Ils se roulent par terre, et sans la moindre transition, ils passent de la haine à l'amour.

Ils s'aiment d'un amour fou, là, entre les herbes folles.

3.

Entre alors en scène le troisième homme. Appelons-le ainsi, puisque très vite, après le drame, on évoquera la présence d'un troisième homme. Avant même que quiconque n'ait connu son nom, il fut une ombre repérée par un témoin. Le troisième homme comme ce film, justement, mémorable pour ses ombres.

Il faut toujours une troisième personne pour qu'un couple plonge dans le drame. Ils se sont rencontrés, au printemps précédent, lors d'une manifestation du DAL, dans la marche de leurs convictions. Il est inutile, dans ces cas-là, de se chercher des affinités ; elles sont évidentes, chacun dans le même sens. Ils se sont revus plusieurs fois, et puis ils n'ont plus cessé de se voir. Inséparables, et pourtant, ces soirs où je suis passé dans la maison de Nanterre, je n'ai pas le souvenir de l'avoir connu.

Peut-être était-il déjà caché dans la fissure du couple ?

Le troisième homme parle beaucoup et semble avoir un avis sur tout. Il est plus âgé, il déborde d'anecdotes. Il se sent à l'aise avec le couple. Ceux qui aiment parler aiment avoir des oreilles pour les écouter ; souvent, ces oreilles sont plus jeunes. Puis vient un temps où l'on n'écoute plus rien que sa propre conviction. Mais elle et lui, si jeunes, boivent ses paroles. Le troisième homme est un baroudeur de la contestation, il a voyagé dans tous les pays et a milité dans tous les pays. Il connaît aussi pas mal de monde, et il accompagne cette expression d'un clin d'œil indiquant aux initiés qu'il s'agit de personnes louches. Ensevelis sous les faits d'armes et les actions glorieuses de leur aîné, jamais ils ne repéreront les douces incohérences de sa vie, sa légère propension à la mythomanie. Au bout du compte, et c'est la beauté des parleurs, il parle tellement de lui qu'on ne sait rien de lui.

Elle est plus méfiante. Non, ce n'est pas tout à fait ça. Elle supporte de moins en moins l'intrusion de cet homme qui empiète sur l'emploi du temps de leur couple, qui passe sans prévenir, à toute heure. Et surtout, ce qu'elle supporte difficilement, c'est l'enthousiasme de celui qu'elle aime. Il est là, si froid avec elle, si mort parfois, et le voilà ressuscité à la vue du troisième homme. Chaque homme est le chien d'un autre homme. Il se lève aussitôt, l'embrasse ; et elle regarde cette scène, effarée. Deux minutes auparavant, il sombrait dans la mélancolie, elle ne pouvait rien y faire, et voilà que l'inconnu le panse avec des grandes idées sur la vie. Entre eux, une franche amitié est née ; avec une fascination légèrement déséquilibrée. Mais une de ces unions incontestables qui aboutira à de grands projets.

Le troisième homme si volubile sait aussi ménager les silences indispensables aux mystérieux. Il entretient son image incomplète ; il n'est pas rare de le voir entamer un sujet, avant de se rétracter subitement. Il distille ses confessions, en les saupoudrant de clins d'œil. Entre le petit loubard à la dérive et l'agent secret militant dans les réseaux dangereux, il n'y a qu'un pas saccadé. Tout est toujours une question de charme, de façon de présenter les choses, et le troisième homme n'en manque pas. Sûrement même est-il touché par ce couple qu'il juge intelligent, ce couple qui ne vient pas du tout des mêmes horizons que lui et qui se retrouve, ici, en marge de la société. Ils ont de longues discussions. Le troisième homme annonce :

« Je suis certain que les banlieues vont se révolter, ce n'est qu'une question de mois. Tout est prêt à péter dans les ghettos. Vous avez bien raison d'être là. Tout va changer, la société ne peut plus continuer comme ça. Elle va exploser. Et on va cramer tous ces putains de fachos.

— Tu as raison. Mais il faut s'unir. Et c'est bien le problème.

— Pour cela, il faudra un acte déclencheur.

— Comme quoi ?

— Un Arabe jeté dans la Seine, une ménagère égorgée… je ne sais pas… Tout ce que je sais, c'est qu'il ne faut surtout pas qu'on se prenne des bombes ici… Je veux dire, avec ce qui se passe en Algérie…

— Tu crois qu'ils peuvent agir ici ?

— Ils l'ont déjà fait. C'est ça qui fout tout en l'air. J'ai eu vent d'actions possibles, mais je préfère ne pas trop en parler… »

La nuit continue sur leurs paroles ; et le troisième homme prévoit les attentats qui vont ensanglanter la France pendant l'été 95.

Si elle écoute avec attention ce qu'il dit, elle attend surtout qu'il parte. Un soir, il veut rester. Il explique que les cons de flics ont enlevé sa voiture ; il doit aller la récupérer le lendemain à la préfourrière de Pantin. Ce fait anodin est la naissance du fait divers.

4.

« Je n'en peux plus de vivre ! On est comme des clochards ! »

C'est avec ces mots qu'il se lève un matin d'une nuit sans sommeil.

« Je n'en peux plus d'entendre des bruits la nuit, de n'être jamais sûr que nos affaires seront là à notre retour, je n'en peux plus de cette vie de merde… »

Et il continue ainsi dans un flot de paroles folles. Elle ne veut rien dire, ne peut rien dire. Depuis des semaines, elle essaie de trouver des solutions, mais comment se loger sans fiches de paye, sans garantie des parents, sans argent surtout ? Vivre en dehors de la société n'est pas possible. Contrairement à lui, elle est prête, même si elle ne peut se l'avouer, à tenter de reprendre une vie normale. Mais il est trop tard. Comment se regarder dans un miroir ensuite ? Après avoir tant critiqué le système, après avoir vomi sur la moindre institution, ils ne pourront jamais vivre dans un tel compromis. Ils sont morts pour la société, et il n'y a pas de vie ailleurs.

Le troisième homme lui a mis cette idée dans la tête, mais il est évident qu'elle germait déjà en lui depuis un moment. Il savait très bien que sans argent, ils ne pourraient rien faire. Alors, il fallait le prendre, cet argent ; le prendre où il était. Faire des braquages, voler aux riches était un acte contestataire. Il n'y avait rien d'illogique là-dedans. « Tant qu'il y aura de l'argent, il n'y en aura pas pour tout le monde », était un de leurs slogans. Voler l'argent, par extension, pouvait être considéré comme une humiliation de sa valeur. Bien sûr, c'était juste une théorie ; et plus les faits approcheraient, moins les théories auraient de valeur.

Bientôt, il ne resterait plus que le visage des faits.

Elle se sent de plus en plus mise à l'écart. À vrai dire, ce n'est pas qu'un sentiment. Les deux hommes complotent dans la pénombre. Les grands fracas commencent toujours par des murmures. Ils gloussent parfois, et leur entreprise si sérieuse pourrait passer pour une lubie rieuse. Exaltés, galvanisés, tout paraît simple alors dans leur tête ; loin, si loin de la réalité. On prépare le coup avec légèreté, car on est persuadé de sa simplicité ; une ridicule routine. C'est après cette étape que les choses importantes commenceront. Mais il n'y aura jamais de seconde étape.

Il faut des armes. Pour braquer des banques, il faut des armes. Grâce à ses relations (clin d'œil), le troisième homme a pu se procurer un fusil à pompe. Il est planqué maintenant dans un coin de la maison. Tous les trois regardent le fusil comme ils regarderaient un nouveau-né : le départ de leur nouvelle vie. Que pense-t-elle à cet instant ? Est-elle d'accord avec cette idée de posséder des armes, et d'imaginer les utiliser ? Elle ne pense rien. Elle vit dans les vapeurs mêlées de l'amour et de la dépression. Plus rien de réel n'existe. À aucun moment, elle ne refusera ; à aucun moment, elle n'aura la lucidité de penser que toute cette histoire dérape. Bien au contraire, elle l'encourage, elle le soutient, ses décisions sont bonnes, elle est amoureuse. Elle n'a pas d'autre choix que de prendre le train dans sa marche dangereuse. Ils ont besoin d'un second fusil, car ils seront deux à faire le coup. Le troisième homme s'est procuré la carte d'identité d'une jeune femme qui lui ressemble sensiblement ; alors ce sera simple : avec ses dernières économies et de faux papiers, elle va acheter un fusil à pompe. Oui, si simple.

Elle a toujours été considérée comme une fille timide qui n'aime pas se mettre en avant. Et pourtant, le jour où elle entre à la Samaritaine, ses pas sont précis. Elle se dirige vers le rayon des armes. D'un calme frôlant la froideur, elle avance comme une automate. Et il est là, derrière elle, et ses yeux sont comme des ficelles. Il la guide, il la soutient : il la hisse sur le devant de la scène. Sans ce regard dans son dos, elle serait morte de trouille. Non pas que sa présence la rassure, loin de là ; mais sa présence est toujours cette pression de l'amour, cette obligation de paraître. Il attend d'elle qu'elle soit efficace et précise, alors c'est exactement ce qu'elle sera. Au moment où elle achète le fusil, elle ne connaît pas l'usage qu'ils en feront. Elle n'est qu'une petite main qui aide deux hommes préparant un coup. C'est sa partition, son simple rôle. Elle se permet même un sourire au vendeur ; au vendeur qui, lui, ne se pose aucune question en voyant une jeune fille acheter un fusil ; la violence est aussi là.

En quittant le magasin, elle ne le regarde pas. Il la suit à distance, étonné par son sang-froid. Impressionné même, et c'est à cet instant qu'il comprend qu'il l'admire depuis le début. Il aime cette fille si douce et si forte. Cette sortie du magasin, c'est le moment le plus fort de leur amour. Elle marche lentement, elle marche comme une fille qui va acheter des chaussures. Depuis des mois, elle n'a pas été aussi heureuse. Exaltée, sa folie est contenue, impossible d'exploser maintenant. Elle est dans ces moments où on se soulage de l'adrénaline accumulée. Surtout, elle sait qu'elle a pris du plaisir à ce qu'elle vient de vivre. Elle s'est mise en danger ; jamais la vie n'avait autant battu dans son cœur. Et puis, il y a lui, toujours dans son dos. Lui, qui doit être si fier d'elle. Les deux éléments combinés propulsent ce moment dans une mythologie de la confiance. Une illusion de force qui sera fatale.

Dans le métro, puis dans le RER, ils sont assis l'un en face de l'autre. Ils font semblant de ne pas se connaître. Ils se sentent héroïques, au milieu des travailleurs dépressifs. Ils ne rentreront jamais dans ce schéma. Elle soupire de plaisir. Elle croise le regard de certaines personnes, et elle s'excite à l'idée que jamais ces gens-là ne pourraient imaginer qu'elle trimbale dans son sac un fusil à pompe. Enfin, elle est une femme intéressante, une femme mystérieuse, une femme dont personne ne peut soupçonner les incroyables capacités. Exactement comme les super-héros qui se fondent dans la masse anonyme entre deux exploits. Plus les stations avancent, plus elle tue son passé. Toutes ces années à vivre dans la peau d'une fille tellement comme les autres sont mortes maintenant ; mortes après l'achat d'un fusil sous le regard de son seigneur.

5.

Il a vu de quoi elle était capable. Il ressent une certaine fierté, c'est une sensation vague, comme s'il était responsable de ce qu'elle est devenue. Il est l'entraîneur de sa championne. Et toute leur histoire ressemble à une route vers la lumière, une route vers ce jour où il faudra être à la hauteur. Pour l'instant, il ne veut surtout pas l'impliquer dans un coup. Il s'agit davantage d'un manque de confiance en elle que d'une volonté de la protéger ; car ce coup, il l'estime sans risques.

Sans risques.

Quand le troisième homme a récupéré sa voiture à la préfourrière de Pantin, il a remarqué que deux vigiles armés gardaient le lieu. Il n'y avait rien de plus simple en apparence que de les braquer en pleine nuit, de s'emparer de leurs armes, de les menotter avec leurs menottes, et de fuir. Limpide, un coup d'une simplicité parfaite. Parfait pour augmenter le butin des armes, parfait pour compléter l'arsenal nécessaire aux braquages. Les deux hommes ont repéré les lieux une fois seulement. Une grille à escalader ; ridicule de facilité pour lui. Un passage peu fréquenté la nuit. En dix minutes, toutes les interrogations sont écartées. C'est sans risques, ont dit les deux hommes dans la certitude de leur repérage, dans leur évidence. Ce coup, ils y pensent comme à un préliminaire, quelque chose qu'on survole du regard car le regard se pose déjà sur l'après.

Il a repris goût à la vie. Enfin, il sait qu'il va s'en sortir. Enfin, il vit avec une promesse d'avenir. La faiblesse de se sentir écrasé en permanence sous le poids de l'injustice sociale ne sera bientôt qu'un lointain souvenir. Puisque règne la loi du plus fort, alors ils seront les plus forts. Les jours précédant le coup, sa tête est envahie d'images de gangsters au lieu de révolutionnaires. Il prend de la consistance, parle de moins en moins d'amour, fait des pompes. Sur un mur, il s'entraîne à tirer. Et elle aussi essaiera. On les comparera à Bonnie and Clyde. Pourtant, elle continue de se sentir écartée, inutile. Sa vie n'est que le ressac de son adolescence. Ne pas partager avec lui, c'est mourir. Elle ne dit rien encore. Sa tristesse parle à sa place.

Le troisième homme l'aime de moins en moins, il sent en elle une force noire et venimeuse, quelque chose de terriblement malsain. Et vient le moment où il met des mots sur ce qu'il ressent. Il attire dans un recoin, loin du regard féminin, son complice. Il est catégorique :

« Ne lui dis rien. Ce sont toujours les filles qui font foirer les coups ! Je vois bien la façon dont elle cherche à participer à tout prix. Et toi, je te trouve toujours étrange avec elle… enfin, ça c'est ton problème… Mais pour notre coup, fais-moi confiance, fie-toi à mon expérience, ne lui dis rien… »

Ainsi, il se laisse convaincre. Les filles sont trop sentimentales, ou alors pas assez instinctives, ce qui est pire. Dans ce type d'action, il faut aller vite, être précis. La misogynie latente est un moyen de rassurer sa propre virilité ; celle qu'on peut mettre inconsciemment en doute, dans les jours précédant un passage à l'acte. Les deux hommes se rassurent comme ils le peuvent, colmatent les brèches d'une faiblesse en guet-apens.

Une fois par semaine, elle passe chez ses parents pour laver son linge ; officiellement, elle vit dans l'appartement d'un ami parti en Amérique du Sud pour un an. Elle ne fait presque plus rien de ses journées. Aller chercher de l'eau, lire et tourner en rond, elle est souvent lasse et alanguie. Le vide encombre son esprit. Elle le voit de plus en plus excité, de plus en plus dans l'action, dans son action, et ce décalage est insupportable. Elle le presse, car elle n'en peut plus de se retenir de le déranger. Il ne peut lui cacher davantage leur projet. Il lui explique le coup de la préfourrière prévu pour le lendemain soir. Mais ce n'est pas assez, ce ne sera jamais assez sans lui. Elle veut lui prouver qu'elle est encore là, et qu'elle sera toujours là. Lui prouver qu'ils n'existent plus l'un sans l'autre. Il la contemple avec étonnement, elle est si forte, si persuasive ; ou alors, est-ce lui qui devient faible subitement ? Leur couple est un balancement infini, un équilibre nourri de forces et de faiblesses. À présent, elle est absolue et certaine. Il est son amour et sa raison, il est sa vie et sa mort ; il est hors de question qu'il parte risquer quoi que ce soit sans elle.

Il ne sait pas comment annoncer au troisième homme que c'est avec elle qu'il fera le coup. Oui, il fera le coup avec elle, car il n'a pas le choix. Elle a murmuré :

« Si tu le fais sans moi, je ne serai plus là à ton retour… »

La faiblesse.

Après sa dernière histoire qui l'a tant fait souffrir, il s'était juré de ne plus être à la merci d'une volonté féminine. Sa domination était illusoire, il se sent prisonnier d'une nouvelle spirale. Impossible idée de la perdre. Il peut être l'homme le plus irascible qui soit, c'est toujours elle qui aura le dernier mot. Il vient de le comprendre. Les histoires d'amour sont toujours les mêmes histoires. Il la regarde ; elle est déterminée, doucement folle aussi, folle d'amour.

« Oui d'accord, nous irons tous les deux.

— Oui.

— Je vais tout t'expliquer, et ce sera simple.

— Fais-moi confiance. Je ne te décevrai pas.

— Je te fais confiance. »

Elle est heureuse, elle le remercie du regard, boit ses paroles. Elle revit. Et dans chaque palpitation de son cœur, elle sait qu'il ne sera pas déçu de l'avoir emmenée, qu'elle sera parfaite.

« Tu penses que tu auras assez de sang-froid ? lui demande-t-il.

— Oui », répond-elle d'une voix parfaitement posée.

Et il ne sera pas déçu.

Son sang sera glacial.

Le troisième homme n'apprécie pas du tout ce revirement. Il s'énerve en bougeant beaucoup les bras, et le vent qu'il produit se mêle au vent de ses mots. Il rappelle surtout que ce plan, c'est son idée. Il ne les laissera pas faire le coup à leur façon. Mais il est face à un argument de taille :

« Elle sera bien meilleure que toi pour escalader la grille.

— Écoute, c'est une petite grille de rien du tout. Je peux parfaitement le faire.

— J'ai bien réfléchi, et je crois que c'est mieux que tu nous attendes devant. Que tu fasses le guet.

— Ça ne sert à rien, il n'y a jamais personne là-bas.

— Si, je suis sûr que c'est nécessaire d'avoir un guetteur. C'est beaucoup plus important que de venir avec moi.

— Putain, vous n'avez aucune expérience !

— Ça va, je te dis ! C'est mieux comme ça. J'en suis sûr.

— Tu veux pas qu'on le repousse un peu ? Le temps que je m'entraîne ?

— Je ne peux plus attendre. C'est tout de suite, et c'est comme ça. »

Le troisième homme est surpris par le ton autoritaire. Pour la première fois, leur relation s'équilibre. Ou plutôt s'inverse. Il sent bien qu'il ne servirait à rien de discuter pendant des heures. De toute façon, il n'y a pas vraiment de risques à ce qu'elle soit là. Elle s'en est bien sortie quand elle a acheté le fusil. Et puis lui, il sera dans l'ombre ; prise de risque minimum ; au fond, ce rôle lui correspond à merveille. En partant, il continue de feindre l'énervement. Il lui tend une main un peu molle. Et disparaît sans même repréciser une dernière fois le rendez-vous du lendemain, tant de fois répété.

Il retourne dans leur chambre. Elle l'attend, faussement rêveuse. Ils parlent du coup, pour peaufiner quelques détails ; il lui demande si elle a des questions, et elle n'en trouve pas. Une heure plus tard, ils mangent en silence, partagés entre la concentration et l'étonnement. Heureux surtout, ne voulant avouer les sursauts de leur angoisse, la peur de flotter dans un événement trop grand pour eux. Alors du silence, maintenant. Et des sourires doux, pas trop expressifs, des sourires à la crispation dissimulée. L'obscurité progressive les enlace à présent, et tout devient plus simple. Toujours pas de mots, de la douceur encore : leur dernier soir comme au premier jour.

6.

La journée se déroule presque normalement. Ils essayent leurs cagoules et font quelques échauffements. Elle s'entraîne à tirer avec le fusil ; ou plutôt, à le prendre en main. Un coup part tout seul. Discrètement, il la regarde se concentrer ; sa tendresse est presque sororale.

Ils quittent la maison.

En entrant dans le RER, ils croisent à nouveau tous ces hommes et ces femmes qui rentrent du travail. Les chenilles sociales en sueur. Eux, à contretemps, s'engouffrent vers Paris, liés et discrets. Une fois assis, leur sac sur les genoux, ils échangent quelques mots codés, parlent dans une langue qu'ils sont les seuls à comprendre ; à la manière des enfants s'inventant des amis imaginaires. Aucune des oreilles alentour ne pourrait soupçonner que ces deux jeunes gens, ces amoureux du soir, se laissent transporter gentiment vers la violence et vers le sang.

Ils sont en avance, ils marchent lentement dans les couloirs du métro. Ils en profitent pour regarder quelques affiches de pièces de théâtre qu'ils iront voir peut-être plus tard dans des loges spacieuses. Comme ceux qui, au moment de jouer au loto, fantasment déjà sur la façon de dépenser leur fortune, ils parsèment leur conversation de projets et de toutes les possibilités de leur futur. À cet instant, ils se libèrent du poids du présent, enfouissent dans des rêves lointains l'angoisse des prochaines minutes.

« Ça y est, on y est », dit-il en sortant du métro.

Porte de Pantin, porte de l'amour qui fait de l'un le pantin de l'autre. Deux marionnettes dans la nuit. Ils ne savent pas très bien s'ils doivent marcher vite ou lentement. Être discret, être nonchalant ; mais ne pas être trop discret non plus ; on peut se faire remarquer par excès de discrétion. Être naturel alors. Mais comment être naturel dans ces conditions ? Il est déjà impossible d'être naturel en amour, alors comment l'être dans un amour qui prépare un casse ? Il ralentit, c'est lui qui fixe la cadence, elle règle son pas sur le sien.

« Tu es sûre ? demande-t-il.

— Si tu es sûr, je suis sûre, répond-elle.

— Je suis sûr », rassure-t-il.

Déjà le mensonge est entre eux, dans l'absolu refoulement, aux yeux de l'autre, du doute. Aucun ne peut avouer la peur normale, le trac qui devrait tirailler l'estomac avant une telle action ; le trac de se déplacer armé jusqu'ici. À la sortie du métro, se joue dans le silence, dans le rebord du drame, tout ce qui va se jouer le soir même, dans quelques minutes maintenant, se joue leur comédie qui sera le rouage majeur de l'engrenage : ni l'un ni l'autre ne veut perdre la face.

Ni l'un ni l'autre ne peut être dans la vérité.

Elle ne veut pas le décevoir, comme à chaque battement de son cœur, elle mourrait de le décevoir.

Lui non plus ne peut la décevoir. Il s'est donné l'image du héros dur, de l'homme d'action capable de braver la société ; jamais il ne pourrait offrir au regard de son aimée la moindre faiblesse.

La vérité est leur première victime.

7.

Ils empruntent un tunnel qui passe sous le boulevard périphérique. Au-dessus d'eux s'infiltre le chaos hypnotique de la circulation. Au milieu du tunnel, il y a un instant étrange. Un instant qui se finit aussitôt. De l'autre côté, ils aperçoivent la silhouette du troisième homme. Il marche doucement et regarde sa montre, comme tout homme voulant faire croire qu'il en attend un autre. Il s'interdit de fumer : plus d'un truand s'est fait confondre à cause d'un mégot. Sans traces, un guetteur n'existe pas. Il a une petite boule dans le ventre, la mauvaise digestion de son déjeuner, pense-t-il. Dans la journée, il a repéré toutes les rues et ruelles adjacentes. En cas de problème, il pourra s'éclipser de cette histoire sans le moindre souci.

Le couple s'approche de son complice. Très peu de mots sont échangés. On se dévisage discrètement, on guette dans l'œil de l'autre une éventuelle panique. Elle tente un sourire pour prouver sa décontraction. Lui, il sourit plus franchement pour afficher son aisance. « Bon courage », dit alors le troisième homme de la même manière qu'il aurait pu souhaiter une bonne année ou de bonnes vacances. Ils répondent d'un signe de tête, et se dirigent vers leur destination sans se retourner.

Ils longent maintenant la clôture qui protège la préfourrière, et se postent comme prévu dans un passage où le grillage est plongé dans l'obscurité. Ils ne parlent pas. Chacun ouvre son sac pour vérifier une dernière fois que tout est en place. Chacun y voit son fusil à pompe, un petit fusil de 50 centimètres parfaitement discret. À cet instant, et pour la première fois depuis la préparation des sacs, elle se demande pourquoi il a voulu emporter autant de munitions. À eux deux, ils ont trente-huit cartouches. Pour une arme qui ne doit servir qu'à intimider, cela lui paraît subitement excessif. Mais elle ne dit rien, ce n'est pas le moment. Elle se concentre.

C'est elle qui passe la première. Rien ne lui fait peur, c'est ce qu'elle montre. Ces deux mètres sont d'une incroyable facilité ; en haut du grillage, elle ressent la même adrénaline que si elle dépassait les nuages. Une fois de l'autre côté, elle reste immobile.

Pas le moindre bruit, pas le moindre mouvement que son cœur qui bat.

Il la rejoint avec agilité.

Ils sont tous les deux de l'autre côté, maintenant.

Accroupis, ils prennent leur fusil, disposent leurs cartouches en bandoulière. Ils enfilent leur cagoule et s'enfoncent dans la nuit. Pour rejoindre la guérite des policiers en faction, il faut contourner quatre bâtiments. À quelques mètres de l'objectif, ils tentent de chasser tout ce qui peut encombrer leur esprit. Au précipice de leur plus grande compétition, être un sportif aguerri est plus nécessaire que jamais. Ils se regardent.

« C'est bon ? demande-t-il.

— Oui, c'est bon.

— Tu restes en arrière.

— Oui, je sais. »

C'est le moment, plus possible de faire marche arrière.

Le fusil à la main, il approche lentement de la porte. Les deux flics sont là, assis, ils écoutent une émission de radio qu'ils ponctuent de commentaires. Subitement, un homme cagoulé et armé entre en criant :

« Ne bougez pas ! »

Hypnotisés, les deux policiers restent quelques secondes en suspens entre la stupéfaction et, très vite, la peur de la mort.

« On ne vous fera rien ! Posez vos flingues par terre ! » crie-t-il en tentant de lutter contre le déraillement de sa voix. Il sait que sa peur a été perceptible. Mais les deux hommes ne font pas d'histoires. Lentement, leurs mains tremblantes s'exécutent. Jamais ils n'ont agi sous la menace d'un fusil. Ils ont si peur que leurs gestes ne répondent plus, ils ont si peur que le fou qui les braque interprète mal un soubresaut dû à l'angoisse. C'est alors qu'ils remarquent une deuxième personne, derrière la première, comme découpée dans l'ombre de la première. Leur peur redouble.

Ils s'allongent lentement, les genoux au sol s'accompagnent de prières. À cet instant, les deux policiers n'imaginent pas que le coup dont ils sont victimes n'a pour but que de les délester de leurs armes. Leur cauchemar les plonge dans des scenarii sanglants. Ils murmurent :

« Ne nous faites rien… »

Le jeune homme ne répond pas. Il ramasse les deux flingues, deux Manurhin. Et les met dans son sac. À ce moment, il comprend qu'il y a un problème, mais ne veut pas encore se l'avouer. Il ne peut pas admettre qu'il vient de commettre une énorme erreur dans le plan.

À son tour, elle s'avance. Le silence est interminable pour tout le monde. Comme il ne parle pas, elle impose sa présence :

« Surtout, ne bougez pas !

— Que voulez-vous ? tente l'un des policiers.

— Tais-toi ! » répond-elle sèchement.

D'une manière instinctive, elle a ponctué sa réponse d'un mouvement de fusil en direction de l'homme à terre. Son complice la regarde, étonné par son aisance. Il ne peut pas paniquer plus qu'elle. Pendant presque une minute, il est resté silencieux. Subitement, il se reprend :

« Tu les tiens en joue. Au moindre mouvement, tu les butes ! »

Il se précipite sur les fils du téléphone qu'il arrache violemment. Immobile, elle contemple les deux hommes au sol, sous son fusil. Elle comprend qu'il y a un problème, elle comprend que le plan ne peut pas se dérouler comme prévu.

Le plan, c'était d'attacher les flics avec leurs propres menottes.

Mais ces deux-là n'ont pas de menottes.

Les menottes, c'est le cœur du drame.

Plus tard, elle dira que, si les flics avaient eu des menottes, rien de tout ce qui va suivre ne serait arrivé.

Le coup qui devait durer deux minutes au maximum grattait du temps dans l'interminable. L'un des deux policiers, le plus jeune, n'en pouvant plus de ne pas comprendre ce qui se passe, lâche un sanglot ; il se sent minable. Et il n'y a rien à faire qu'attendre. Attendre et espérer s'en sortir vivant. L'attente, chaque seconde est un supplice. Ce sont des fous, cela ne peut être autrement. Pourquoi restent-ils ? Pourquoi ce silence ?

Ils ne peuvent pas fuir comme ça, en laissant les deux policiers à terre. Ce serait trop risqué.

« On n'a qu'à utiliser leurs ceinturons », dit-elle.

Il hoche la tête, signe que l'idée est bonne. C'est un bon point pour elle ; à l'heure du bilan, ce soir, dans la maison, elle ne manquera pas de lui rappeler que l'idée est venue d'elle.

« Les mains dans le dos ! » ordonne-t-il.

Les flics obéissent. Il se baisse pour les attacher en menaçant :

« Le premier qui tente quelque chose… »

Et le silence permet les pires hypothèses. Il parvient à les attacher, mais constate à quel point il leur sera facile de se libérer. Il ne reste alors qu'une seule solution : les asperger de gaz lacrymogène. Il a pris une bombe avec lui, au cas où ; et maintenant qu'il y pense, il regrette de ne pas y avoir songé tout de suite. Enfin, le soulagement ; enfin, la libération. Il se tourne un instant vers elle, souriant sous sa cagoule. Il sort la bombe de son sac. Elle se met à sourire, elle aussi. Contrairement à ce qui a été dit, ils n'étaient certainement pas sortis ce soir-là pour « tuer du flic ». Le ridicule de leur situation, et du temps passé à trouver une solution pour neutraliser les policiers, le prouve amplement. Pour le moment, ils sont encore dans la réalité. Manque à l'alchimie du malheur encore un ingrédient majeur : la peur.

Dans moins de deux minutes, la peur va gangrener leur action.

Elle sort la première. Il asperge longuement de gaz les deux policiers qui hurlent de douleur. Et part en courant, après avoir fermé la porte. Le couple s'enfuit à toute vitesse, les deux armes dérobées dans le sac, le cœur accroché. Ils entendent, dans un volume faiblissant, les quintes de toux des deux policiers. Les yeux brûlés par le gaz, étouffant littéralement, la douleur est insupportable. L'un des deux parvient à ouvrir la porte et à prendre une bouffée d'air, véritable bouffée de velours dans ses poumons incendiés. Son collègue le suit. Et tous deux déambulent comme des robots sans piles, zigzaguant les mains sur le visage.

Encore assez proches, les deux fuyards voient les deux ombres sortir de la guérite. Paniquée, elle s'écrie : « Putain, ils nous suivent ! »

Voilà la peur.

8.

La peur au ventre, subite et tenace, la peur au ventre, maintenant, plus dangereuse que tout. La peur qui propulse dans une furie. Le souffle coupé, les veines fébriles et sans âge, ils enlèvent leur cagoule trempée de sueur. Ils escaladent le grillage avec moins d'aisance. La certitude d'être poursuivis leur fait perdre leur sang-froid, mais aussi une certaine agilité ; ils deviennent approximatifs, brouillons humains. C'est surtout leur lucidité qui s'envole : avec la dose de gaz lacrymogène qu'ils ont reçue, jamais les policiers, désarmés de surcroît, n'auraient pu les poursuivre. Cette hypothèse est purement impossible. Ce soir-là, à cette heure précise, personne ne les suit que l'ombre de leur inexpérience.

Le troisième homme les voit passer en courant ; cette attitude n'était certainement pas au programme. Manque de professionnalisme, pense-t-il. L'excitation des autres est toujours une gangrène, une tumescence contagieuse, alors, lui aussi se met à marcher vite dans une autre direction. Content d'avoir repéré les lieux dans l'après-midi, il jubile secrètement de sa prévoyance. Il laisse dans son dos le couple paniqué qui s'enfonce dans le tunnel. Le couple qui se retrouve maintenant sur les boulevards extérieurs. C'est un soir calme du début de l'automne, il y a peu de gens dans les rues, personne ne pourra se transformer en témoin, il suffirait de baisser gentiment la tête, de se glisser dans la tranquillité du vide. Il suffirait de marcher vers le métro, de suivre à la lettre le plan initial. Personne n'a vu leurs visages. Il suffirait de penser à tout ça maintenant, pour que tout ce qui va se passer n'existe pas.

Elle se précipite sur un taxi arrêté à un feu rouge et ouvre frénétiquement la portière. Elle se colle contre le client présent dans la voiture. La suivant comme son ombre, il rentre à son tour et ferme la portière. Le chauffeur est furieux :

« Mais je travaille ! Vous ne voyez pas que j'ai déjà… »

Et ses mots sont coupés par la présence dans son cou d'un des deux flingues volés. Dans un brouillard, le chauffeur entend l'ordre : « À la Nation, vite ! » Il est incapable de réagir. Sa vie est subitement entre les mains d'un inconnu. Il ne peut même pas distinguer celui qui le menace, derrière l'appui-tête. Juste le froid du métal sur sa peau, et des images de films surgissent dans son esprit, des images de maniaques sanguinaires. Il est pris d'une peur panique, comme si le sentiment de sa mort future était déjà une évidence. Le client, conscient de l'extrême fébrilité du chauffeur, tente de garder son sang-froid, et de le raisonner :

« Ne vous inquiétez pas, tout va bien se passer. Faites ce qu'ils vous disent. Démarrez, et roulez jusqu'à Nation. »

Il faut croire que sa voix est rassurante. Le chauffeur appuie sur l'accélérateur, il enchaîne les efforts mentaux pour traduire sa volonté en action. La voiture avance dans la nuit, en une trajectoire imprécise.

Qui sont ces deux hommes qui entrent dans une histoire qui n'est pas la leur ? Il y a toujours une incroyable étrangeté à se retrouver ainsi projeté au cœur de l'existence des autres. Pourquoi cette voiture ? Et pas celle d'avant, ni celle d'après. Et pourquoi tous les détails qui vont suivre accentuent-ils encore l'impression que les drames reposent sur une série de choses infimes ? Cette voiture, c'était précisément celle qu'il ne fallait pas prendre.

Ironie suprême, le client du taxi a décidé de ne pas rentrer chez lui en métro, de peur de se faire agresser. C'est un docteur dont le cabinet se situe dans un quartier chic, la vie dans son long fleuve bourgeois. Cet homme qui voit défiler des patients toute la journée possède un sens évident du rapport humain ; immédiatement, face au couple surexcité, au couple qui sautille sans cesse sur la banquette en skaï, il tente de désamorcer la fièvre. Il tente de leur dire que tout se passera bien, et que, dans quelques minutes, ils seront arrivés à bon port. Ce qui inquiète déjà le docteur, c'est le comportement du chauffeur. Jamais auparavant il n'a vu un visage ainsi crispé par la peur. Guinéen, le chauffeur travaille beaucoup pour subvenir aux besoins de sa famille nombreuse. C'est un homme connu pour sa douceur. Ce qu'on peut voir de lui, c'est aussi sa belle cravate. Toujours bien habillé, pour respecter le client, et surtout pour rester ancré dans la vie. Il aime cette idée de la cravate comme un antidote à nos dérives ; « elle me sert à attacher le reste de mon corps », sourit-il.

Son corps bientôt mort.

Côte à côte, les amoureux ne peuvent pas se regarder. C'est l'aspect soulageant de la situation, celui de ne pas avoir à affronter le regard de l'autre, la peur possible de l'autre, ou la folie possible de l'autre. Ne pas se savoir, se laisser glisser à la surface de l'autre, ne voir de l'autre que l'apparence d'une force. Et puis lentement, par vagues d'incompréhensions pour ce qu'ils ressentent, tous deux se retrouvent sur un même terrain : l'excitation. La peur réelle s'est transformée en une adrénaline côtoyant les rivages, déjà, de la folie. Intouchables maintenant, les pieds éloignés du sol, prêts à tuer. Pourtant, toute cette folie est en latence, à ce moment précis. Rien ne peut encore présager le sang à venir. La voiture avance, et régulièrement, entre les quatre passagers, on trouve de l'espace pour du silence.

Le docteur tente d'apaiser la situation. Et il ne le fait certainement pas pour le couple en cavale, mais toujours pour le chauffeur, pour le bercer de l'illusion d'un dénouement mielleux. Finalement, l'atmosphère se détend. Tout en menaçant le chauffeur de son flingue, le jeune homme ne cesse de se retourner pour vérifier s'ils sont suivis. Mais personne ne les suit. Les deux policiers braqués ont pu donner l'alerte en téléphonant de la station-service d'à côté, mais ils n'ont aucun signalement à transmettre. Et personne n'a vu le taxi se faire braquer. Alors progressivement, il se calme. Le client tente de nouer un dialogue :

« Je suis docteur, dit-il. Il n'y aura aucun problème. Vous avez l'air jeunes… »

La situation semble alors pouvoir prendre une tournure presque normale, une sorte de covoiturage à l'amiable. Jusqu'au moment où le jeune homme décide de demander les papiers d'identité de ses otages.

« Filez-moi vos papiers. Et si j'apprends que l'un de vous deux nous a mouchardés, on vous retrouvera… »

Le docteur s'exécute aussitôt. Mais le chauffeur balbutie qu'il ne peut pas ouvrir la boîte à gants en roulant. La place de la Nation approche.

« Allez, ça suffit comme ça ! Donne-moi ta carte d'identité. On est presque arrivés ! »

Le docteur ne comprend pas pourquoi le chauffeur résiste, et pourtant la raison est simple. Pour un travailleur immigré, les papiers d'identité sont la chose la plus importante qui soit ; et c'est toujours très compliqué de les faire refaire, la promesse d'ennuis et d'interminables paperasseries. Ce qui pouvait apparaître comme une bonne idée par le preneur d'otages se révèle être un piège tragique. Plus les papiers se font attendre, plus le couple panique. Encore un degré supérieur dans l'engrenage. Il appuie le canon sur la tête du chauffeur :

« Je vais t'éclater la tête, file-nous tes papiers ! »

À son tour, elle s'énerve : « Arrête de te foutre de notre gueule ! »

Le pauvre homme est pris en tenaille par deux jeunes malades, il pense à ses papiers et s'imagine déjà expulsé et ne pouvant plus subvenir aux besoins de ses deux femmes et de ses enfants. La peur le parcourant en tous sens depuis de longues minutes, il ne sait plus comment faire, sa voiture ne roule plus droit, il a peur, si peur. Le docteur, qui était parvenu à calmer la situation, ne sait plus quoi dire pour rétablir le calme. C'est explosif maintenant. La vision du chauffeur se brouille, les feux rouges, les feux verts, plus aucune couleur dans la noirceur de ce qu'il vit, et des larmes aussi brouillent sa vision.

C'est alors qu'il voit une voiture de police. Instinctivement, il décide de projeter son véhicule contre le leur.

9.

La fuite en avant comme la plus parfaite illusion de l'autonomie. Le cauchemar éveillé, quand tout est lent, quand on ne peut rien attraper, quand la réalité glisse indéfiniment.

Le chauffeur ouvre sa fenêtre et crie aussitôt : « Ils vont me tuer, ils vont me tuer ! »

Et maintenant, en un éclair, tout s'accélère.

Les policiers ont à peine le temps de comprendre ce qui leur arrive que déjà le jeune homme sort son fusil et les arrose. Sans la moindre hésitation. À bout portant. Deux des trois flics sont abattus sur-le-champ. Le troisième est blessé à l'abdomen. Et cela ne suffit pas, les balles fusent en tous sens, la place de la Nation est le théâtre d'un carnage sans précédent. Les passants courent, les passants cherchent à se protéger ; certains pensent qu'on tourne un film d'action, mais il n'y a pas de caméras. Deux sont touchés par des balles perdues. Et les balles continuent de se perdre.

Le jeune homme sort de la voiture et ne parvient pas à abattre le troisième flic, véritable miraculé, survivant de la folie. Il a réussi à se protéger derrière un réverbère. Tout est allé si vite. Le chauffeur du taxi agonise sur le bitume. Les analyses confirmeront qu'il a été touché par le meurtrier ; mais il sera impossible de savoir si le tir a été intentionnel, ou si le pauvre homme a été une victime du déluge. Certaines balles perdues se perdent si mal. Sa souffrance est insoutenable aux yeux des témoins. Le docteur, en rampant, parvient à s'éloigner du carnage. Autour de la scène, la fumée des coups de feu rend l'atmosphère apocalyptique. À cet instant, le silence n'est perturbé que par le râle des agonies. Avec un sang-froid redoutable, le jeune homme s'empare tranquillement des armes des policiers morts. Croise-t-il seulement un instant leurs regards ? Il est dans un ailleurs, il tremble. Dans son dos, à quelques mètres de lui, elle est là, parfaitement stable.

Allongé au sol, le docteur la voit se rapprocher. Il ne pourra jamais oublier cette image. Pour la première fois, il voit son visage, sa jeunesse, la possibilité de sa douceur. Il ne pourra jamais oublier son calme. Est-ce l'effroi qui fige ou une extrême insensibilité ? Pendant cette première fusillade, elle a tiré elle aussi. Sans tuer personne. Les expertises balistiques mettront du temps à le confirmer, mais, non, elle n'a tué personne. Est-ce que cela compte ? A-t-elle tiré en l'air, ou a-t-elle tenté de tuer ? Dans les bribes qu'elle lâchera de ce moment, elle dira toujours avoir voulu protéger l'homme qu'elle aimait. Mais le protéger de quoi ? De lui ou des autres ? Au moment précis où il est sorti de la voiture et où il s'est déchaîné sur des innocents, dans une rage extrême, a-t-elle eu un seul instant de lucidité ? Aurait-elle pu l'arrêter ou fuir ? Non, jamais elle n'aurait pu fuir, coûte que coûte être près de lui, le seconder, et même le doubler. Car elle paraît forte, parfaitement forte, hiératique dans le drame. Le docteur, toujours le docteur qui est persuadé de mourir maintenant, la regarde comme celle qui sera sa dernière image. Elle est là, surréelle, agenouillée, en train de recharger tranquillement le fusil. Concentrée, précise, inhumaine alors.

Ni l'un ni l'autre ne montre le moindre signe de faiblesse. Il y a de la politesse amoureuse dans cette furie. C'est l'axe pervers de la situation. Maintenant, il faut agir vite. Il faut fuir. Il faut s'échapper. Mais comment faire ? Une R5 est là, immobilisée par la collision. Ses deux occupants se sont transformés en témoins effarés. Leurs vies glissent dans l'entonnoir de cette soirée. Ne pas aller trop vite, non plus. Les laisser encore un instant dans l'espoir de ne pas se figer dans l'histoire. Ils seront pourtant pris au piège.

Rester sur les corps. La part inamovible du drame. Tout le reste sera modifié par les souvenirs de chacun, par les perceptions de chacun, modifiés par les douleurs et les peurs. Et les tentatives d'oubli. Deux personnes placées au même endroit verront deux choses diamétralement opposées. Il n'y a pas de vérité unique. Chacun romance et fantasme, et la vérité se trouve quelque part par là, épuisée. La seule vérité est celle des morts. Ils sont là. Dans quelques minutes, on tentera de réanimer les deux policiers et le chauffeur de taxi. Quelques minutes plus tard encore, on ne tentera plus rien. Et ce seront les naissances d'orphelins et de veuves.

Elle demande au docteur de se lever pour les suivre. Il a alors la présence d'esprit de simuler une blessure par balle. Il se tient la jambe en souffrant, sa partition est parfaite, elle se détourne de lui, comme un animal en épargne un autre. Elle laisse un témoin derrière elle, un homme qui a vu son regard, un homme qui ne pourra jamais l'oublier. Elle est alors tellement dans le présent qu'elle ne pense pas un seul instant qu'il faudrait l'abattre, cet homme, pour espérer échapper à la future traque de la police, pour ne pas laisser la preuve de son visage.

Elle se retourne vers son amour qui menace les passagers de la R5 bloquée. Le docteur en profite pour s'échapper, partir en courant, quitter, à une vitesse inégalée dans sa vie, la folie. Son cœur bat à en mourir, il est vivant.

Dans la R5, deux cousins partaient rejoindre des amis. Dans un premier temps, ils se sont mis à rire de la collision, pensant que le chauffeur allait passer un sale quart d'heure pour avoir heurté ainsi une voiture de policiers. Et puis leurs rires sont aussitôt morts. Coincés, condamnés à être au cœur de la fusillade, allongés au sol, priant pour être épargnés.

« Relève-toi ! ordonne le jeune homme. On a besoin d'une voiture pour se barrer…

— Je… Laissez mon cousin… je vais vous conduire. »

Avant de monter, il crie : « Viens vite ! On va prendre cette voiture ! »

Elle se précipite. Au moment où elle passe près du conducteur, celui-ci baisse les yeux ; surtout, ne pas croiser son regard. Elle monte à l'arrière de la voiture : « Allez, dépêche-toi ! »

La voiture démarre, laissant trois cadavres dans son sillage.

Le cousin de l'otage se précipite alors sur un flic : « Prévenez tout le monde que le conducteur de la voiture est un otage ! C'est un otage ! Surtout faites attention à ne pas lui faire de mal. » Il imagine bien que la poursuite qui va suivre sera terrible, et que les flics morts seront vengés coûte que coûte. La nervosité est extrême. Les rumeurs circulent sur toutes les radios de police ; des fous veulent abattre des flics ; les arrêter quoi qu'il arrive, vivants ou morts.

10.

Il est assis à la place du mort. Elle est derrière le conducteur, le menaçant d'un fusil dans la nuque. On fonce vers les boulevards extérieurs. Mais où doit-elle aller, cette voiture ? Que peuvent-ils faire ? Totalement excités, avec un absurde sentiment de force dans la situation la plus fragile qui soit. Paris se resserre irrémédiablement sur eux. Des barrages sont dressés partout. Il pense que le mieux est de prendre le périphérique. Le chauffeur tente de leur faire croire qu'il est des leurs, que c'est un caïd, qu'il a fait de la prison, et qu'il fera tout pour les aider à s'en sortir. Et pour confirmer son attitude par des actes, sa première intervention est décisive :

« On ne peut pas prendre le périph'. Dans deux minutes, il sera complètement bloqué. Et vous allez vous faire serrer.

— … Oui, c'est vrai, confirme-t-elle.

— Il faut foncer vers le bois de Vincennes. »

Ce qu'ils font.

Dans la nuit noire.

Comme une litanie, il répète : « Putain, j'en ai eu deux… j'ai buté deux flics ! » Et le chauffeur compose un visage de connaisseur, fait mine de ne pas avoir peur, de ne pas vomir devant un tel aveu. Le fait d'avoir dit qu'il a fait de la prison ne suffit peut-être pas, alors il parle de sa femme, et de leur futur enfant à naître. Il déploie toutes les cartes de la sensibilité. En souriant, il cache les soubresauts pathétiques des spasmes qui parcourent son visage. Il trouve le jeune homme un peu trop excité, rivé dans une frénésie presque immature. Il est nettement plus impressionné par elle, précise, à l'arrière, la considérant même comme le cerveau indéniable du duo. Son témoignage entachera terriblement l'image de la jeune adolescente suivant béatement son amour dans la folie. « C'était elle le véritable chef », dira-t-il, sans croiser son regard. Où est la vérité ? Est-ce une folle amoureuse ou une amoureuse folle ? Cette jeune fille frêle, tour à tour décrite comme une force venimeuse et une faiblesse contaminée. La vérité se promenant, encore et toujours, inlassablement. À ce moment précis, il est évident qu'elle ne semble pas paniquer. Elle parlera d'un état second. Un état où la réalité est une forme floue, comme les images des rêves parsemés de points multicolores.

Le chauffeur connaît bien le bois de Vincennes. Il sait très bien qu'il en va de sa survie de les aider à fuir, il sait déjà que s'ils croisent un barrage de police, il aura très peu de chances de s'en sortir. À l'entrée du Bois, un motard les prend en chasse.

« Putain, on est suivis ! Ralentis, je vais le buter ! »

Ces mots du tueur, car c'est un tueur maintenant, sont criés, hurlés. L'otage ne parvient pas tout de suite à rétrograder, sa jambe tremble sur l'accélérateur.

« Vas-y, je te dis ! Ralentis. »

C'est elle qui tire alors, comme une preuve de son implication. Elle se penche par la fenêtre arrière, elle a du vent plein les yeux. Elle est maladroite. Cette maladresse qui lui évitera de prendre perpétuité. Quatre ans plus tard, lors de son procès, elle sera condamnée à vingt ans de réclusion. L'avocat général avait demandé plus, insistant : « Si elle n'a pas tué, c'est qu'elle a été maladroite ! » Dans la brume de cette soirée, elle sera toujours persuadée de n'avoir tué personne, comme si cette maladresse arguée était peut-être une tentative encore d'être dans l'illusion, de lui faire croire qu'elle tirait pour tuer, comme on s'arrange pour perdre à un jeu quand on joue avec un enfant.

Entre-temps, il a chargé son fusil. « Pousse-toi ! » lui crie-t-il. Elle s'exécute en se calant vers la fenêtre toujours ouverte. Il tire dans la vitre arrière, provoquant des éclats de verre qui auraient pu la défigurer. Le froid et le vent s'engouffrent dans la voiture. Le panorama est dégagé. Le motard se retrouve dans le cadre, véritable cible du tueur qui enchaîne les tirs, au rythme des battements de son cœur. Une balle transperce la mentonnière du motard, et la moto dérape dans un fossé.

« Putain, je l'ai eu ! » s'excite-t-il.

Son regard survole rapidement les deux autres occupants de la voiture, comme s'il cherchait à ce qu'on le félicite, qu'on lui assure qu'il est dans son bon droit. Mais personne ne dit rien. De toute façon, le bruit du vent imposerait de crier.

En se relevant, le motard touche ses jambes, son torse, et sa tête. Il vérifie méthodiquement qu'il est vivant.

Retour sur la voiture. Avec la peur ajoutée au froid, le conducteur est transi. Des échos religieux et lancinants dans sa tête, c'est son seul espoir, il murmure mentalement des prières. Le silence accentue son angoisse : le couple ne propose rien, ne sachant absolument que faire. Le conducteur conduit où bon lui semble. La voiture s'engouffre dans un petit chemin. Toujours ce moment de calme avant le déluge, l'assaut final. La dernière grande respiration. Ce temps où tout peut se jouer, et où jamais rien ne se joue. Dans les profondeurs du bois, dans un petit chemin discret, la voiture roule doucement. L'obscurité est quasi totale. On entend juste les souffles de chacun, les souffles qu'on essaye de rendre silencieux, pour ne pas laisser percer l'angoisse. Les arbres paraissent menaçants, le vent les manipule, et les branches qui craquent font sursauter. L'impression qu'ils sont cernés et que des policiers sont prêts à surgir à tout moment. Et pourtant, à cet instant, il n'y a personne. Le silence, le froid, la peur, la mort. La voiture continue doucement, feux éteints. Le chauffeur a envie de leur dire de descendre, que c'est le bon moment, qu'ils restent cachés là jusqu'à l'aube, peut-être même devraient-ils se percher sur un arbre, personne ne les retrouverait. Le chauffeur a envie de leur dire qu'il jure de ne pas aider les flics, de les protéger en étant imprécis dans la description de leurs visages. Il n'aura pas vraiment d'efforts à faire. Jusqu'à présent, il n'a jamais osé les dévisager, et maintenant plus que jamais ils sont des ombres. Des ombres qui respirent la mort, ses deux fossoyeurs. Il ne dit rien de tout ce qu'il voudrait dire, et simplement, il entend :

« Redémarre. On va s'enfuir par là. »

Il s'exécute.

À quelques mètres, ils aperçoivent les lampadaires bordant la route. Le temps d'y parvenir, ils ne voient aucune voiture passer. Il est évident que le périmètre est bouclé, que le bois de Vincennes est pris en tenailles, que tous les accès principaux sont barrés. Et pourtant, la voiture continue son avancée fébrile, dans l'idiotie de sa trajectoire. L'otage appuie sur l'accélérateur, pour fuir au plus vite. Mais quelques secondes plus tard, ils distinguent un barrage au bout de la route. Faire marche arrière est impossible. Le conducteur est paralysé par la peur, ses membres sont totalement contractés. Et il entend à nouveau les ordres absurdes criés par le jeune homme : « Tu fonces ! » Elle renchérit : « Surtout, tu t'arrêtes pas ! », et souligne ses mots d'une pression de métal dans la nuque. Alors il fonce, il fonce vers sa mort, il n'a d'autre choix que celui de mourir. La voiture est canardée. Un motard a couché sa moto sur la route pour les forcer à s'arrêter. Acte héroïque. La voiture fonce sur lui.

Le conducteur décide subitement de lever le frein à main et la voiture dérape brutalement. C'est ce geste qui lui sauvera la vie. Ce geste, et beaucoup de chance. Car la voiture est mitraillée, des balles passent tout près de lui, sans jamais le toucher. Il parvient à sortir de la R5 et se jette au sol. Il crie : « Je suis un otage ! » Dans le bruit, personne ne l'entend. Et dans la confusion, personne ne distingue son statut d'otage. Pour les flics qui viennent de perdre des collègues, cet homme fait partie de l'équipe meurtrière. Il leur faut des coupables, vite. On peut les comprendre. Ils se précipitent sur le conducteur qui hurle de douleur ; une balle lui a transpercé le genou. Ils ne peuvent pas savoir qu'ils ont affaire à un homme choqué, un homme qui a conduit sous la contrainte d'une arme, un homme qui a vécu d'interminables minutes sur le rivage de la mort. Les flics le malmènent. Personne ne l'écoute, ou plutôt, personne ne veut le croire. Il est juste une victime du hasard. Son sang se répand, sa lucidité décline. Son calvaire se poursuit. On l'emmène pour l'interroger, personne ne pense à s'occuper de ses blessures. Au milieu de la nuit seulement, un docteur ordonnera qu'il soit soigné. Et le lendemain, à l'hôpital, tous les journalistes se focaliseront sur lui. Il est l'Otage. Il est celui qui a tout vu, qui était aux premières loges du drame. On lui propose de l'argent, il peut monnayer ses confidences, il devient un événement, il devient l'homme le plus intéressant de Paris. Jusqu'à quand ? Bientôt, la tempête médiatique se portera ailleurs, et l'otage retournera dans l'ombre. Il avouera avoir aimé être au centre, que les gens s'intéressent à lui, être dans les journaux. La seule façon peut-être d'exister après un tel moment. Oui, il a aimé être dans la lumière : le lendemain matin du drame, tous étaient penchés autour de lui, comme s'il était un prince agonisant, pour recueillir ses volontés et ses impressions. Comment étaient-ils ? Que se disaient-ils ? Et que pensez-vous de leur motivation ? Avez-vous eu peur de mourir ? Que pensez-vous d'elle ? Et de lui ? Et de leur couple ? Et comment tout cela s'est fini ? Oui, cette folle soirée, comment tout cela s'est-il fini ? Vous avez pilé, c'est ça ? Et après ?

11.

Quand la voiture a pilé, le jeune homme a basculé vers l'avant. Sa tête a cogné, mais il s'est aussitôt repris. Le fusil en main, à quelques mètres du motard héroïque, il se penche par la fenêtre pour tirer. Elle aussi se redresse un instant de la banquette arrière, et s'associe à son compagnon. Elle blesse le motard, mais c'est insuffisant. Les coups de feu choisissent leur camp. Le jeune homme sort vainqueur du dernier relent de son carnage. Le motard s'effondre sur la chaussée. Le quatrième mort, la quatrième victime. Mort sur le coup, il laisse une femme et un fils. Les vies se brisent.

Derrière le motard mort, les renforts abasourdis canardent la voiture. Un second motard vise le jeune homme, car seule la mort peut l'arrêter. Oui, seule la mort peut l'arrêter. Pourtant, il est traversé par un éclair de lucidité. Enfin. Il comprend à cet instant qu'il est face à la mort, et qu'il ne peut plus avancer. Il a tué des flics. Et maintenant les flics cherchent à le tuer. Il est blessé, il est sonné. Il se cache pour éviter les balles. Les bruits sont de plus en plus forts dans sa tête, car son oreille bourdonne des précédentes fusillades. À sa gauche, il voit l'otage en train de ramper en se tenant le genou. Il ne peut pas la voir, elle ; le rétroviseur est arraché. Il ne l'entend plus. À ce moment, il est seul au monde. Seul acteur dans son film. Et il sait comment ça se termine. Il suffit de lever les bras. De dire pouce. Il suffit d'arrêter ce qu'il a commencé, comme si c'était lui, et uniquement lui qui décidait de tout. Comme si subitement la vie avait fait de lui un démiurge, un homme capable d'organiser à sa guise l'existence des autres.

*

Après s'être relevée pour tirer quelques coups de feu, comme de graves tentatives d'être encore présente à ses côtés, elle s'est définitivement recroquevillée. Son corps ne ressent plus rien. Comme dans les cauchemars où le chaos résonne dans le vide, où les pas des géants sont sourds, où l'on tend la main pour attraper du vent, la réalité s'échappe irrémédiablement. Absente, elle est loin de la conscience du tragique, de la mort semée par la folie ridicule. Et comme dans tous les cauchemars, il est impossible de pleurer ; les larmes n'y existent pas.

*

Le second motard attend que le jeune homme relève la tête. Son regard est fixé sur la voiture, il ne veut pas le détourner ; il ne veut pas voir son collègue mort, tout près de lui. Il ne veut pas voir celui qu'il aurait pu être. Et le silence est fracturé par ces mots qui peuvent paraître si absurdes : « On se rend ! » Ça y est, le jeu est fini. Le jeune homme pose son fusil sur la banquette. Elle lâche aussi son arme, qu'elle tenait surtout pour fixer ses doigts. Il se redresse lentement, sans penser un seul instant à la perception qu'ont de lui les policiers. Comment peuvent-ils le croire ? Il a abattu trois policiers et un chauffeur de taxi ; sans la moindre pitié. Il ne peut pas être crédible, subitement, dans le rôle de celui qui se rend. À aucun moment, il ne pense que les flics vont douter de ses mots, que les flics ont la peur au ventre, et la nausée des cadavres. Le motard les a-t-il même entendus, ces mots, concentré sur un objectif unique ? Objectif en mouvement, et objectif maintenant dans le viseur.

Une balle le touche, et il bascule en arrière. Ses yeux sont ouverts.

Une seule balle. Il est neutralisé. Il n'y a aucun doute. Les policiers se rapprochent lentement de la voiture. Ils crient à la seconde personne de se rendre. Ils ne savent pas encore qu'il s'agit d'une femme, ils ne savent pas encore qu'il s'agit d'une si jeune femme. Elle n'entend rien. Ni les mots, ni les pas de ceux qui avancent vers elle, armes en avant. Elle regarde son amour, immobile déjà, et calme. Presque soulagé par la mort. Elle s'approche de lui, et pose ses lèvres sur ses lèvres. Ce moment est parsemé de tous leurs moments, en folie, à la vitesse supérieure, les moments de leur amour tourbillonnants autour de leurs deux visages comme la vie défile aux yeux de ceux qui glissent vers le néant ; le néant qui l'attend, lui, dans l'au-delà, et elle dans l'en-delà ; tous deux vers le néant. Les instants du premier baiser, la bataille de polochons, l'amour mauvais des mauvais jours aussi, les montées et les descentes des montagnes, les excitations infinies, les illusions perdues, le bonheur absolu, évident, le temps suspendu, tout est là, encore à cet instant, encore plus évident et plus fort que jamais, peut-être. Le goût de ses lèvres, dans le froid. Le goût de ses lèvres, comme une transmission de la mort.

Les policiers sont effarés par leur vision. Le visage de la jeune femme est noirci par la poudre. Ils l'attrapent brutalement, l'arrachent à son amour. Elle n'oppose aucune résistance. Elle est déjà entrée dans le mutisme. Un monde intérieur. Le mode d'emploi de la vie sans lui, elle ne le connaît pas.

Du même auteur :

Aux Éditions Gallimard

INVERSION DE L'IDIOTIE, 2002 (prix François-Mauriac de l'Académie française).
ENTRE LES OREILLES, 2002.
LE POTENTIEL ÉROTIQUE DE MA FEMME, 2004 (prix Roger-Nimier) ; Folio n° 4248.
QUI SE SOUVIENT DE DAVID FOENKINOS ?, 2007.
NOS SÉPARATIONS, 2008.
LA DÉLICATESSE, 2009.
LES SOUVENIRS, 2011.

Aux Éditions Plon

LENNON, 2010.

Aux Éditions Flammarion

EN CAS DE BONHEUR, 2005 ; J'ai Lu n° 8257.
CÉLIBATAIRES, 2008.

Aux Éditions Emmanuel Proust

POURQUOI TANT D'AMOUR ?, *2 tomes, en collaboration avec Benjamin Reiss*, 2003-2004.

Le Livre de Poche s'engage pour l'environnement en réduisant l'empreinte carbone de ses livres. Celle de cet exemplaire est de :
250 g éq. CO_2
Rendez-vous sur
www.livredepoche-durable.fr

Composition réalisée par FACOMPO (Lisieux)

Achevé d'imprimer en juillet 2012 en Espagne par
BLACK PRINT CPI IBERICA, S.L.
08740 Sant Andreu de la Barca (Barcelona)
Dépôt légal 1re publication : juin 2012
Edition 02 juillet 2012

LIBRAIRIE GÉNÉRALE FRANÇAISE – 31, rue de Fleurus – 75278 Paris Cedex 06

31/6687/3